Offizielles Organ der Österreichischen Gesellschaft
Gynäkologie und Geburtshilfe (ÖGGG)

Gynäkologisch-geburtshilfliche Rundschau

1964 gegründet als «Gynäkologische Rundschau» von H. Schwalm, J. Snoeck, R. Wenner und H. Husslein zunächst als Referierjournal.

Seit 1978 weitergeführt von M. Berger, Bern, bis 1987 und E. Gitsch, Wien, bis 1990.

Seit 1991 neukonzipiert als «Gynäkologisch-geburtshilfliche Rundschau» von U. Haller, Zürich, H. Hepp, München, und E. Reinold, Wien, als wissenschaftliche Zeitschrift. Zitiert in: ISI – Current Contents/Clinical Medicine, Index Medicus, National Library of Medicine, Reference Update (RIS), Biological Abstracts.

KARGER

Gedruckt auf chlorfrei gebleichtem Papier von Reinhardt Druck, Basel (Schweiz)

Erscheint vierteljährlich; pro Jahr 1 Band zu 4 Heften

Gynäkologisch-geburtshilfliche
Rundschau

Richtlinien für Autoren

Einreichung

Es werden nur Originalbeiträge in deutscher, englischer oder französischer Sprache veröffentlicht. Manuskripte sind zu senden an:

Prof. Dr. U. Haller
Departement für Frauenheilkunde
Universitätsspital
Frauenklinikstrasse 10
CH–8091 Zürich (Schweiz)

oder an:

Prof. Dr. H. Hepp
Frauenklinik im
Klinikum Grosshadern
der Ludwig-Maximilian-Universität
München
Marchioninistrasse 15
D–81377 München (BRD)

oder an:

Prof. Dr. E. Reinold
Neues-AKH
Postfach 49
A–1097 Wien (Österreich)

Die Manuskripte sind fünffach einzureichen (mit Originalabbildungen in fünffacher Ausführung oder 1 Original mit vier Photokopien), einseitig maschinengeschrieben, mit doppeltem Zeilenabstand und breitem Rand. Der Umfang von Originalartikeln soll 14 Manuskriptseiten (inkl. Abbildungen und Tabellen) nicht überschreiten. Kurzmitteilungen sollen nicht mehr als eine Abbildung und zwei Tabellen enthalten und den Umfang von insgesamt 3 Manuskriptseiten nicht überschreiten. Beiträge für die Sektion «Der klinische Fall» sind auf 6 Manuskriptseiten (inkl. Abbildungen und Tabellen) zu beschränken.

Bedingungen

Jede Arbeit wird durch die Herausgeber und eine Reihe von Gutachtern auf ihren wissenschaftlichen Wert, ihre Aktualität und Originalität geprüft. Alle veröffentlichten Arbeiten sind also «peer reviewed». Die Herausgeber behalten sich das Recht vor, die eingereichte Arbeit sprachlich zu prüfen und notwendige Verbesserungen vorzunehmen. Gegebenenfalls wird das Manuskript zur Überarbeitung an den Autor zurückgeschickt. Die Arbeit darf nicht gleichzeitig bei einer anderen Publikation eingereicht sein. Es ist Sache des Autors, die Nachdruckerlaubnis für Abbildungen, Tabellen usw. aus anderen Publikationen zu beschaffen. Akzeptierte Arbeiten fallen unter das ständige Eigentumsrecht der «Gynäkologisch-geburtshilfliche Rundschau» und dürfen auf keine Art und Weise, ganz oder teilweise, ohne schriftliche Einwilligung von Autor und Verlag reproduziert werden.

Aufbau

Titelseite: Die erste Seite jeder Arbeit soll folgendes enthalten: Titel (Haupttitel unterstreichen), Namen der Autoren und Angabe des Instituts, in dem die Forschungsarbeit durchgeführt wurde; ferner werden ein Kurztitel, der als Kolumnentitel verwendet wird, sowie die vollständige Adresse des für Korrespondenz zuständigen Autors benötigt.

Adresse: Am Fuss der Titelseite muss die vollständige Adresse (mit Postleitzahl, Telefon- und Fax-Nummer sowie E-Mail-Adresse) stehen. Sollen Wünsche um Sonderdrucke von einem Mitautor behandelt werden, muss dessen Adresse angegeben werden.

Zusammenfassung: Jede Arbeit muss eine **Zusammenfassung** von **höchstens 12 Zeilen (1050 Anschläge) in Deutsch, Englisch und Französisch** enthalten, welche **für** die **Originalarbeiten** wie folgt **gegliedert** sein sollen: Fragestellung/Objective/Objectifs; Methoden/Methods/Méthodes; Ergebnisse/Results/Résultats und Schlussfolgerungen/Conclusions/Conclusions. Ausserdem soll die englische Zusammenfassung den englischen, die französische den französischen Titel der Arbeit enthalten. **Für das Inhaltsverzeichnis ist in einem englischen Satz (etwa 150 Buchstaben) der Inhalt der Arbeit zusammenzufassen.**

Schlüsselwörter: Jede Arbeit muss 3–10 Schlüsselwörter in Deutsch und Englisch enthalten.

Satzanweisungen für Kleinschrift (Fallbesprechungen, Testmethoden usw.) sind durch Kennzeichnung der betreffenden Abschnitte in der linken Randspalte mit «p» (petit) anzugeben.

Fussnoten sind zu vermeiden. Falls unumgänglich, sind sie am Fuss der betreffenden Seite aufzuführen und müssen fortlaufend numeriert sein.

Tabellen und Abbildungen: Tabellen und Abbildungen (beides arabisch numeriert) müssen dem Manuskript auf Einzelblättern beigefügt sein. Jede Tabelle muss mit einer Überschrift und jede Abbildung mit einer Legende versehen sein. Die Legenden sind auf einem separaten Blatt am Schluss des Manuskriptes beizufügen. Zur Reproduktion von Abbildungen sind nur gute Vorlagen und Originalphotographien einzureichen. Negative oder Photokopien können nicht verwendet werden. Aus technischen Gründen sollten keine Abbildungen mit Hintergrundraster eingereicht werden. Falls möglich, sollten Einzelbilder zu Blöcken zusammengestellt werden (max. Grösse 180 × 241 mm). Auf die Rückseite jeder Abbildung gehören: Nummer, Name des Autors, Angabe, wo «oben» ist. Verwenden Sie für diese Angaben einen weichen Bleistift.

Farbige Abbildungen: Bis zu 6 Farbabbildungen können pro Seite zum Preis von CHF 660.– / DM 800.– in den Text integriert werden. Diese Kosten gehen zu Lasten des Autors.

Abkürzungen bitte sparsam verwenden. Eine Abkürzung sollte nur dann eingeführt werden, wenn ein Fachausdruck mindestens 3- bis 4mal vorkommt.

Literaturverzeichnis: Im Text werden Referenzen durch arabische Ziffern [in eckigen Klammern] gekennzeichnet. Ist ein Beitrag zur Veröffentlichung eingereicht, aber noch nicht angenommen, wird er als «unveröffentlicht» zitiert und nicht in das Literaturverzeichnis aufgenommen. Die Referenzliste soll nur jene Publikationen enthalten, die im Text erwähnt sind. Nicht alphabetisieren; die Referenzen werden mit 1 beginnend in der Reihenfolge numeriert, in der diese im Text zum ersten Mal erwähnt sind. Es werden alle Autoren zitiert, «et al.» genügt nicht. Keine Interpunktionen ausser einem Komma, um die Autoren auseinanderzuhalten. Zeitschriftentitel sind nach dem Index Medicus System abzukürzen. (Siehe auch International Committee of Medical Journal Editors: Uniform requirements for manuscripts submitted to biomedical journals. Br Med J 1988;296:401–405.)

Beispiele:
1. Zeitschriftenbeiträge: Sun J, Koto H, Chung KF: Interaction of ozone and allergen challenges on bronchial responsiveness and inflammation in sensitised guinea pigs. Int Arch Allergy Immunol 1997;112: 191–195.
2. Monographien: Matthews DE, Farewell VT: Using and Understanding Medical Statistics, ed 3, revised. Basel, Karger, 1996.
3. Bücher mit Herausgeber: Parren PWHI, Burton DR: Antibodies against HIV-1 from phage display libraries: Mapping of an immune response and progress towards antiviral immunotherapy; in Capra JD (ed): Antibody Engineering. Chem Immunol. Basel, Karger, 1997, vol 65, pp 18–56.

Übersichtsreferate, Kurzfassungen von Zeitschriftenartikeln und Beiträge zur Sektion «Fortbildung» sind nur auf Anforderung durch die Schriftleitung einzusenden.

Korrekturabzüge werden an den erstgenannten Autor geschickt, wenn nicht anderweitig angegeben, und müssen schnellstmöglich zurückgesandt werden. Änderungen in den Korrekturabzügen, ausgenommen die Korrektur von Satzfehlern, werden dem Autor belastet. An die Autoren wird kein Umbruchabzug geschickt.

Sonderdrucke

Bestellformulare mit einer Preisliste werden mit den Korrekturabzügen zugestellt. Bestellungen, die nach dem Druck des Heftes eingehen, werden zu wesentlich höheren Preisen offeriert.

KARGER

Fax + 41 61 306 12 34
E-Mail karger@karger.ch
www.karger.com

Richtlinien für Autoren:
www.karger.com/journals/ggr/ggr_gl.htm

Gynäkologisch-geburtshilfliche Rundschau

Allgemeine Information

Erscheinungsweise: Die «Gynäkologisch-geburtshilfliche Rundschau» erscheint 4mal im Jahr. 1999 erscheint Band 39 mit 4 Heften.

Abonnementspreise: Abonnemente gelten für ein ganzes Kalenderjahr, die Preise gelten pro Band. Die Versandkosten für Normalpost sind nicht inbegriffen.

Für Private:

Abonnement	*+ Versandkostenzuschlag*
CHF 227.–	+ CHF 15.70 Europa
CHF 227.–	+ CHF 23.70 Übersee
DEM 291.–	+ DEM 21.10
USD 173.50	+ USD 15.70

Für Institute:

Abonnement	*+ Versandkostenzuschlag*
CHF 454.–	+ CHF 19.60 Europa
CHF 454.–	+ CHF 29.60 Übersee
DEM 582.–	+ DEM 26.40
USD 347.00	+ USD 19.60

Bitte erkundigen Sie sich nach reduzierten Preisen für Mitglieder der Schweizerischen Gesellschaft für Gynäkologie und der Bayrischen Gesellschaft für Gynäkologie. Für Mitglieder der Österreichischen Gesellschaft für Gynäkologie und Geburtshilfe ist der Abonnementspreis im Mitgliederbeitrag enthalten.

Mikroformen: Bitte wenden Sie sich mit Bestellungen oder Fragen an: University Microfilms Inc.
300 North Zeeb Road, P.O. Box 1346
Ann Arbor, MI 48106-1346 (USA)

Abonnemente: Bestellungen können bei Agenturen, Buchhandlungen, direkt beim
Verlag S. Karger AG, Postfach,
CH–4009 Basel (Schweiz)
oder bei einer der folgenden Vertretungen aufgegeben werden:
Deutschland: S. Karger GmbH, Postfach
D–79095 Freiburg
Frankreich: Librairie Luginbühl
36, bd de Latour-Maubourg, F–75007 Paris
Grossbritannien: S. Karger Publishers
58 Grove Hill Road
Tunbridge Wells, Kent TN1 1SP
USA: S. Karger Publishers, Inc.
26 West Avon Road, P.O. Box 529
Farmington, CT 06085
Indien, Bangladesh, Sri Lanka:
S. Karger India Subscription Agency
B–5/132 Safdarjung Enclave
New Delhi-110029
Japan: Katakura Libri, Inc.
2F, Marushima Bldg, 4-6-17, Yushima,
Bunkyo-ku, Tokyo 113-0034

Adressänderung: Die alte und die neue Anschrift sind an die Stelle zu senden, bei der die Bestellung erfolgte.

Einzelhefte und frühere Bände: Informationen über Lieferbarkeit und Preise sind beim Verlag erhältlich.

Bibliographische Hinweise: Inhaltsverzeichnisse dieser Zeitschrift erscheinen regelmässig in *Current Contents*® und verschiedenen bibliographischen Diensten.

Inserate: Insertionsaufträge und Preisanfragen sind an den Verlag zu richten.

KARGER

Fax + 41 61 306 12 34
E-Mail karger@karger.ch
www.karger.com

Richtlinien für Autoren:
www.karger.com/journals/ggr

Gynäkologisch-
geburtshilfliche
Rundschau

XVI. Akademische Tagung deutschsprechender Hochschullehrer in der Gynäkologie und Geburtshilfe

Abstracts

Kloster Seeon,
29. April–1. Mai 1999

Herausgeber
H. Graeff, München

1 Abbildung und 3 Tabellen, 1999

KARGER

Basel · Freiburg · Paris · London · New York ·
New Delhi · Bangkok · Singapore · Tokyo · Sydney

S. Karger
Verlag für Medizin und Naturwissenschaften
Basel · Freiburg · Paris · London
New York · New Delhi · Bangkok · Singapore
Tokyo · Sydney

Dosierungsangaben von Medikamenten
Autoren und Verlag haben alle Anstrengungen unternommen, um sicherzustellen, dass Auswahl und Dosierungsangaben von Medikamenten im vorliegenden Text mit den aktuellen Vorschriften und der Praxis übereinstimmen. Trotzdem muss der Leser im Hinblick auf den Stand der Forschung, Änderungen staatlicher Gesetzgebungen und den ununterbrochenen Fluss neuer Forschungsergebnisse bezüglich Medikamentenwirkung und -nebenwirkungen darauf aufmerksam gemacht werden, dass unbedingt bei jedem Medikament der Packungsprospekt konsultiert werden muss, um mögliche Änderungen im Hinblick auf Indikation und Dosis nicht zu übersehen. Gleiches gilt für spezielle Warnungen und Vorsichtsmassnahmen. Ganz besonders gilt dieser Hinweis für empfohlene neue und/oder nur selten gebrauchte Wirkstoffe.

Gedruckt auf chlorfrei gebleichtem Papier
von Reinhardt Druck, Basel (Schweiz)
ISBN 3–8055–6882–7

KARGER

Fax+ 41 61 306 12 34
E-Mail karger@karger.ch
www.karger.com

Inhaltsverzeichnis Vol. 39, Nr. 1, 1999

Gynäkologisch-
geburtshilfliche
Rundschau

KARGER

Fax+ 41 61 306 12 34
E-Mail karger@karger.ch
www.karger.com

Access to full text and tables of contents, including tentative ones for forthcoming issues:
www.karger.com/journals/ggr/ggr_bk.htm

Editorial

Gynäkologisch-geburtshilfliche Rundschau

Gynäkol Geburtshilfliche Rundsch 1999;39:5–6

XVI. Akademische Tagung deutschsprechender Hochschullehrer in der Gynäkologie und Geburtshilfe

Kloster Seeon, 29. April – 1. Mai 1999

XVIth Academic Meeting of German-Speaking University Teachers of Gynaecology and Obstetrics. Monastery Seeon, April 29 – May 1, 1999

H. Graeff

Frauenklinik der Technischen Universität München, Deutschland

Die XVI. Akademische Tagung deutschsprechender Hochschullehrer in der Gynäkologie und Geburtshilfe findet in ländlicher Abgeschiedenheit im Kloster Seeon in der Zeit vom 29. April bis zum 1. Mai 1999 nach der von Prof. Dr. *Henning Schneider* in Interlaken, Schweiz, ausgerichteten Tagung wieder in Deutschland statt. Der bayerisch-ländliche Tagungsort des Klosters Seeon in der Nähe vom Chiemsee wurde dem Wunsch des Ordinarienkonvents entsprechend gewählt, um eine Konzentration der Teilnehmerinnen und Teilnehmer auf das zentrale Thema «Die kommenden Hochschullehrerinnen und Hochschullehrer unseres Faches präsentieren die Ergebnisse ihrer wissenschaftlichen Arbeit» zu ermöglichen.

Die 171 eingereichten Beiträge wurden anonym von den Mitgliedern des im Programm ausgedruckten wissenschaftlichen Komitees beurteilt, und entsprechend dieser Bewertung sowie der zeitlichen Grenzen der Tagung wurden 13 Vorträge von 15 Minuten und 74 Vorträge von 9 Minuten (jeweils einschliesslich Diskussion) ausgewählt. Diese Auswahl war bei dem durchschnittlich guten inhaltlichen Niveau der zur Beurteilung eingereichten Abstracts nicht leicht, und es wurden deshalb in diesem Heft der «Gynäkologisch-geburtshilflichen Rundschau» noch die Beiträge aufgenommen, die es ebenfalls verdient hätten, vorgetragen zu werden.

Beiträge aus allen Bereichen der translationalen Forschung, d.h. sowohl patienten- und krankheitsorientierte Themen der klinischen Forschung als auch Themen der grundlagenorientierten klinischen Forschung sind vertreten und spiegeln, so meine ich, eine positive Entwicklung der letzten Jahre, die zu einer Reihe von Publikationen in hochbewerteten internationalen Zeitschriften geführt hat, wider. Die Öffnung deutschsprachiger Zeitschriften für englischsprachige Beiträge wird auch in unserem Fach den jüngeren Autoren die ersten Schritte auf dem Weg zu internationalen Veröffentlichungen erleichtern.

Bei Durchsicht der eingereichten Beiträge fiel auf, ähnlich wie bei der letzten Tagung der Deutschen Gesellschaft für Gynäkologie und Geburtshilfe, dass eine Kooperation zwischen Ärzten und Naturwissenschaftlern bzw. mit medizinisch-theoretischen Instituten selten deutlich wird und dass auch wenig gemeinsame Beiträge von verschiedenen Universitätsfrauenkliniken eingesandt wurden. Dies ist besonders erstaunlich in einer Zeit, in der die medizinischen Fakultäten und auch die Universitäten zunehmend in die Selbständigkeit entlassen werden und damit in zunehmendem Masse die Darstellung eines eigenen forscherischen Profils der einzelnen Fakultäten hinterfragt wird. Die Verteilung der Landeszuschüsse für Forschung und Lehre wird an den Eckdaten der eingeworbenen Drittmittel, den Forschungsergebnissen und den Chancen des Transfers von neuen Erkenntnissen über Patente und Firmengründungen in die Anwendung orientiert: Es werden hierbei nicht allein der Diskussionen herausfordernde kumulative Impact Factor von Einzelpersonen, Institutionen und Fakultäten herangezogen,

KARGER

Fax + 41 61 306 12 34
E-Mail karger@karger.ch
www.karger.com

Accessible online at:
http://BioMedNet.com/karger

Prof. Dr. Henner Graeff, Frauenklinik der TU München
Ismaninger Strasse 22, D–81675 München (Deutschland)
Tel. +49 89 4140 2420/2437, Fax +49 89 4140 4846/4831
E-Mail wissenschaftssekretariat@lrz.tu.muenchen.de

sondern auch Beurteilungen durch Gutachter, wie es *Jean K. Gregory,* eine Professorin der Technischen Universität München, kürzlich treffend beschrieb [1]: «Bei der Forschung ist es wie bei der Kunst oder beim Wein: Wer sich nicht auskennt, kann über die Qualität nicht urteilen.»

In einer Zeit, in der die Qualität und Quantität der Forschung von Nationen verglichen werden und in der im gleichen Sinne Profil- und Schwerpunktbildung gefordert werden [2], ist es wenig vertretbar, wenn an Universitätsfrauenkliniken auf Schwerpunktbildung verzichtet wird [3]. Interdisziplinäre (und interinstitutionelle) Kooperationen in der Forschung und der Dialog mit den Naturwissenschaftlern in der eigenen Arbeitsgruppe, innerhalb einer klinischen Forschergruppe oder innerhalb der Fakultät sind gefragt [4].

In der Öffentlichkeit wird die Verzögerung des Transfers neuer Pharmaka von der Entwicklung in die klinische Anwendung beklagt. Eine der Ursachen ist hier möglicherweise die Innovationslücke, die in Grossfirmen der pharmazeutischen Industrie infolge der Beschränkung auf bestimmte, wenig selektive Entwicklungsprozesse eingetreten war. Eine Effizienzsteigerung in dem Prozess der Entwicklung und Entdeckung von neuen Pharmaka wird von der Bio-/Gentechnologie, die in der ersten Phase der translationalen Entwicklung vor allem in kleineren und mittleren Biotechnologiefirmen erfolgen kann, erwartet. Es wird in zahlreichen Stellungnahmen immer wieder darauf hingewiesen, dass bei diesem Transfer biomedizinischer Erkenntnisse in die klinische Anwendung der forscherisch tätige Arzt («physician scientist») eine wichtige und beschleunigende Rolle spielen kann. Demgegenüber musste bedauerlicherweise ein Rückgang der Zahl dieser «physician scientists» beobachtet werden und diese Spezies wird derzeit als «gefährdet und dennoch essentiell» [5] bewertet.

Abschliessend darf ich in Anlehnung an die Ausführungen von Goldstein und Brown [6] zusammenfassen, was zu tun ist, um die klinische Forschung, auch in unserem Fach, zu stärken und den Transfer von wissenschaftlichen Erkenntnissen bis zur patientenorientierten Anwendung zu beschleunigen:

1. Der Dialog zwischen Grundlagen- und klinischen Forschern muss gefördert werden.
2. Brückenbauer zwischen klinischer Grundlagenforschung, krankheitsorientierter und patientenorientierter Forschung brauchen Unterstützung.
3. In den medizinischen Fakultäten ist die interdisziplinäre Zusammenarbeit vor allem zwischen den Kliniken und den medizinisch-theoretischen Instituten unter Einschluss der vorklinischen Einrichtungen zu verbessern.
4. Kooperationen zwischen den Frauenkliniken und die jeweilige Beschränkung der einzelnen Kliniken auf bestimmte Schwerpunkte der Forschung (auch standortbezogen) können die klinische Forschung in unserem Fach verbessern.
5. Der Transfer neuer Pharmaka in die klinische Praxis muss beschleunigt werden.
6. Die Integration von «physician scientists» in Forschergruppen durch Freistellung über Rotationsstellen erfordert eine Umorientierung und eine verständnisvolle unterstützende Kooperation innerhalb unserer Kliniken.

Gemeinsam mit den Organisatoren der Tagung begrüsse ich Sie alle im Kloster Seeon herzlich. Ich wünsche allen Teilnehmerinnen und Teilnehmern wissenschaftlich ergiebige Vorträge, anregende Diskussionen und hoffe, dass die Tagung selbst meine etwas kritischen Anmerkungen widerlegt.

Literatur

1 Gregory JK: Verantwortung gegenüber der nächsten Generation. Forschung und Lehre 1999;3:132–135.
2 Adams J: Benchmarking international research. Nature 1998;396:615–618.
3 Schneider H: Forschung in der Frauenheilkunde heute. Gynäkol Geburtshilfliche Rundsch 1996;36:183–187.
4 Graeff H: The necessity for a progressing dialog between basic science and clinical research in obstetrics and gynecology. J Obstet Gynaecol Res 1998;24/6:427–432.
5 Rosenberg LE: Physician-scientists – endangered and essential. Science 1999;283:331–332.
6 Goldstein JL, Brown MS: The clinical investigator: Bewitched, bothered and bewildered – but still beloved. J Clin Invest 1997;99:2803–2812.

Gynäkologisch-geburtshilfliche Rundschau

Gynäkol Geburtshilfliche Rundsch 1999;39:7–51

Abstracts

Feto-maternale Medizin

1

Sekretorisches Immunglobulin A im Cervikalsekret normaler Schwangerer

S. Abitzsch, U. Sack[1], H. Stepan, R. Faber

Universitätsfrauenklinik Leipzig, [1]Institut für Klinische Immunologie und Transfusionsmedizin der Universität Leipzig, Ph.-Rosenthal-Str. 55, 04103 Leipzig, Deutschland

Einführung und Fragestellung: Über die Bedeutung lokaler Abwehrmechanismen im pathophysiologischen Prozess der drohenden Frühgeburt ist bis heute wenig bekannt. In diesem Zusammenhang war es Ziel dieser Untersuchung, die Konzentration des sekretorischen Immunglobulins A (sIgA) im Cervikalsekret normaler Schwangerer unter Berücksichtigung des Gestationsalters zu bestimmen. *Material und Methoden:* Die prospektive Querschnittsstudie umfasst 57 normale Schwangerschaften, bei denen die Konzentration des IgA im Cervikalsekret mittels radialer Immundiffusion gemessen wurde. Gleichzeitig wurde ein Scheidenabstrich entnommen. Durch die Bestimmung der Immunglobuline A, G und M im mütterlichen Serum wurde eine Immundefizienz ausgeschlossen. *Ergebnisse:* Bei keiner Schwangeren lag ein selektiver Immunglobulinmangel vor. Die Konzentration des sekretorischen IgA in der Cervix und das Schwangerschaftsalter zeigen keine Korrelation zueinander. Die Medianwerte der Konzentration des cervikalen sIgA in den einzelnen Gestationsaltersgruppen unterscheiden sich nicht signifikant voneinander (18.–24. SSW (n = 14): 19,8 mg/l; 25.–29. SSW (n = 11): 33,4 mg/l; 30.–34. SSW (n = 17): 20,6 mg/l; 35.–40. SSW (n = 15): 27,8 mg/l). Schwangere mit einem normalem Scheidenabstrich (n = 28) weisen eine signifikant höhere sIgA-Konzentration in der Cervix als solche mit einem pathologischem Scheidenabstrich (n = 29) auf (43,4 mg/l vs. 15,9 mg/l; $p < 0{,}05$). *Schlussfolgerung:* Die Konzentration des sekretorischen IgA im Cervikalsekret zeigt bei normalen Schwangerschaften keine Gestationsaltersabhängigkeit. Die deutliche Erniedrigung des sIgA in der Cervix bei gestörter Vaginalflora könnte Folge eines gesteigerten Verbrauchs dieses Immunglobulins durch lokale Abwehrmechanismen sein.

2

Infektion und fetaler Hirnschaden: Beeinflussen Lipopolysaccharide den zerebralen Energiestoffwechsel und die Proteinbiosynthese nach einer Ischämie in vitro?

R. Berger, Y. Garnier, D. Pfeiffer, A. Jensen

Universitätsfrauenklinik, In der Schornau 23–25, 44892 Bochum, Deutschland

Wie jüngste Untersuchungen gezeigt haben, scheint eine aufsteigende intrauterine Infektion fetale Hirnschäden zu begünstigen. Unklar ist jedoch, ob die bei einer Infektion freigesetzen Lipopolysaccharide (LPS) das fetale Gehirn direkt zu schädigen vermögen. Wir haben daher den Einfluss von LPS auf die Erholung hippokampaler Gewebescheiben reifer Meerschweinchenfeten nach Ischämie in vitro untersucht. Als Marker für Zellschäden wurde der Energiestoffwechsel und die Proteinbiosynthese gemessen. *Methodik:* Hippokampale Gewebescheiben reifer Meerschweinchenfeten wurden in artifizieller Liquorflüssigkeit (aCSF) inkubiert und mit 95% O_2/5% CO_2 begast. Dem aCSF der Versuchsgruppe wurde 8 mg/ml LPS zugesetzt. Zur Induktion der Ischämie in vitro wurden die Gewebescheiben in glukosefreien aCSF transferiert und für 20–40 Min. mit 95% N_2/5% CO_2 begast. Nach 12stündiger Erholungszeit wurden die ATP-Konzentration und die Proteinbiosynthese in den Gewebescheiben gemessen.

Ergebnisse:

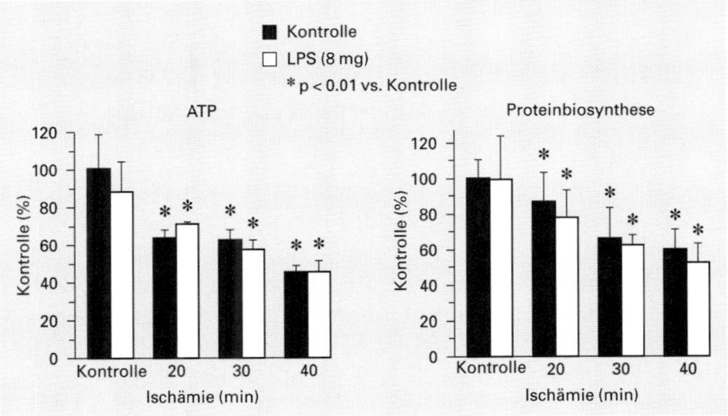

Schlussfolgerung: LPS hat keinen Einfluss auf den Energiestoffwechsel und die Proteinsynthese in hippokampalen Gewebescheiben reifer Meerschweinchenfeten nach einer Ischämie in vitro. Ein direkt

KARGER

Fax + 41 61 306 12 34
E-Mail karger@karger.ch
www.karger.com

Accessible online at:
http://BioMedNet.com/karger

toxischer Effekt von LPS auf fetales Hirngewebe ist somit unwahrscheinlich. Fetale Hirnschäden, die im Zuge einer aufsteigenden intrauterinen Infektion entstehen, sind daher wohl eher die Folge einer septisch bedingten Herzkreislaufdezentralisation mit zerebraler Hypoperfusion.

3

Änderungen in der Endokrinologie und Genexpression während der fetalen Hypoxämie

G. Braems[1], *J. Challis*[2]

[1] Univ.-Frauenklinik, Justus-Liebig-Universität, Giessen, Deutschland; [2] Dept. of Physiology, University of Toronto, Kanada

Einführung: Die fetale Entwicklung wird über die Genexpression gesteuert. Aus epidemiologischen Studien geht hervor, dass Änderungen in der intra-uterinen Umgebung zu Erkrankungen im späteren Leben führen. Aus diesem Grunde haben wir den Einfluss der Hypoxämie auf die Endokrinologie und Genexpression des Feten untersucht, insbesondere auf die Hypothalamus-Hypophysen-Nebennierenrinden-Achse. Die Ausreifung dieser Achse, mit zunehmenden ACTH- und Cortisol-Konzentrationen, ist beim Schaffeten notwendig für die Ausreifung anderer fetaler Organe, wie der Lunge, und das Einsetzen der Wehentätigkeit. *Material und Methoden:* Bei chronisch katheterisierten Schaffeten wurden entweder die Bedingungen unverändert belassen (normoxämische Kontroll-Gruppe; n = 15) oder wurde die maternal eingeatmete O_2-Fraktion gesenkt (hypoxämische Gruppe; n = 14). Nach 48 h wurden die fetalen Organe entnommen. Die Schwangerschaftsdauer war entweder 126–130 oder 134–136 Tage (Termin ist Tag 145). ACTH und Cortisol wurden mittels RIA gemessen und Pro-opiomelanocortin (POMC) mRNA (Vorläufer von ACTH und α-MSH) wurde durch in-situ Hybridisierung in der Hypophyse lokalisiert und quantifiziert. Ergebnisse: Während der Hypoxämie nahm die fetale PaO_2 um $^1/_3$ ab, der pH-Wert blieb unverändert. Die ACTH-Konzentration stieg um das 10fache an und normalisierte sich nach 24 h. Mit Beginn der Hypoxämie nahm die fetale Cortisol-Konzentration zu. In der fetalen Hypophyse nahm die mRNA-Menge für POMC in der Pars distalis zu und in der Pars intermedia ab. *Schlussfolgerungen:* Die differentielle Regulation von POMC mRNA in der Hypophyse, die Freisetzung von ACTH und Cortisol stellen eine bisher nicht bekannte Beinflussung der fetalen Endokrinologie und Genexpression dar, die bereits bei einer mässigen Hypoxämie auftreten.

4

Molekularbiologische Typisierung der Rhesus D-, C- und E-Antigene aus Fruchtwasserzellen

K. Hoof, H. Brauch, B. Hüneke

Universitäts-Frauenklinik Eppendorf, Martinistrasse 52, 20246 Hamburg, Deutschland

Einführung: Die frühe pränatale Bestimmung des fetalen Rhesus (Rh)-Status bei Rh-negativen Müttern ist für die risikoarme Schwangerschaftsvorsorge wünschenswert. Die serologische Rh-Standarddiagnostik an fetalen Erythrozyten erfordert den risikobehafteten invasiven Eingriff der Cordocentese. Molekularbiologische Methoden erlauben die fetale Rh-Typisierung an Fruchtwasserzellen, die durch Amniocentese früher und risikoärmer gewonnen werden können. Es wurde die Zuverlässigkeit und Übereinstimmung der präpartalen molekularen und postpartalen serologischen Befunde überprüft. *Material und Methode:* Der Rh-Status wurde bei 88 Feten molekularbiologisch und serologisch bestimmt. DNA wurde aus 2–3 ml Fruchtwasser mit Hilfe des QIA amp RNA Viral Kits isoliert. Zwölf Rh-spezifische PCR wurden zur Amplifikation von 8 RhD-Loci und jeweils eines RhC-, Rhc-, RhE- und Rhe-Locus durchgeführt und die PCR-Produkte in der Agarosegelelektrophorese dargestellt. Serologische Rh-Analysen wurden an Nabelschnurblut nach Standardmethoden durchgeführt. *Ergebnisse:* In allen 88 Fällen wurde Übereinstimmung der präpartalen molekularbiologischen und der postpartalen serologischen Bestimmungen erzielt. Eine Rh-Inkompatibilität wurde in 26 Fällen diagnostiziert. In sieben Fällen lag eine RhD-negativ/RhD-positiv-Konstellation von Müttern und Feten/Neugeborenen vor. Für das RhCE-System wurden insgesamt 19 mögliche Inkompatibilitäten (12mal Rhcc/Cc, dreimal RhCC/Cc, viermal Rhee/Ee) erfasst. Intrauterine Bluttransfusionen bei fetaler Anämie wurden in einem Fall einer RHd/D Konstellation durchgeführt. In allen anderen Fällen war eine klinische Intervention nicht erforderlich. *Schlussfolgerung:* Die molekularbiologische RhD-, RhC-, Rhc-, RhE- und Rhe-Typisierung an DNA aus Fruchtwasserzellen erwies sich als einfache, schnell durchführbare, reproduzierbare, risikoarme und aussagefähige Methode zur frühen Identifizierung des fetalen Rh-Status.

5

Die Anwendung von Eisen(III)hydroxid-Saccharat Komplex zur Behandlung von schweren Anämien in der Schwangerschaft und postpartum; Erfahrungen in Zürich

C. Breymann, R. Huch, A. Huch

Klinik für Geburtshilfe, Universitätsspital Zürich, Schweiz

Einleitung: Eisenmangelanämien sind in Abhängigkeit ihrer Schwere mit einer hohen mütterlichen und fetalen Morbidität verbunden. Die orale Eisentherapie ist zur effizienten Therapie aus verschiedenen Gründen oft unzureichend. Wir berichten von Erfahrungen mit der parenteralen Eisentherapie mit Eisen(III)-saccharat Komplex in der Therapie schwerer und fortgeschrittener Eisenmangelanämien sowie postpartaler Anämien. *Methodik:* Im Zeitraum 1992–1998 wurden 450 Patientinnen mit Eisenmangelanämie und postpartaler Anämie (<10 g%) stationär und ambulant behandelt. Eisensaccharat wurde als Bolus oder als Kurzinfusion mit 100–200 mg Fe(III)saccharat gegeben. Die maximale kumulative Dosis lag bei 1,600 mg in der SS und bei 800 mg postpartum. Es wurden 1997 Ampullen zu 100 mg verwendet. *Ergebnisse:* In der SS lag der mittlere Hb-Wert vor Therapie bei 9.1 (7.9–9.9) g%, mittleres Gestationsalter 32 SSW. Die Therapiedauer betrug im Mittel 21 Tage (8–29). Bei allen Pat. normalisierten sich die Hb-Werte, sie lagen im Mitel bei 12.0 g% präpartal. Ferritinwerte und Transferrinsättigung normalisierten sich bei allen Pat. Postpartum lag der mittlere Hb-Wert bei 8.2 (4.8–9.9) g% nach einem mittleren Blutverlust von 840 ml. 14 Tage nach Therapiebeginn lag der mittlere Hb-Wert bei 11 g% (ΔHb Tag 0 vs. Tag 14 = 3 g%). Ferritinwerte und Transferrinsättigung lagen zu Therapieende im Normbereich. Die Therapie wurde subjektiv und objektiv gut vertragen, die allgemeine, leichte Arzneimittelnebenwirkungsrate lag bei 0.36% bezogen auf Ampullen, 1.8% bezogen auf Pat. Es kam zu keiner schweren allergischen Reaktion oder Beeinträchtigung des Feten. *Schlussfolgerung:* Eisen(III)hydroxid-Saccharat hat sich bei uns in der Therapie schwerer Anämien aufgrund seiner hohen Effizienz und guten Verträglichkeit bewährt. Therapien mit 100–200 mg können als Einzeldosis problemlos ambulant durchgeführt werden und werden von Pat. gut akzeptiert. Durch die äusserst effiziente und rasche Therapie der Anämien wird die perinatale Morbidität aufgrund mütterlicher Anämie und deren Risiken gesenkt.

6

Kininrezeptoren an kultivierten Zellen von Amnion und Dezidua

P. Buchinger, J. Rehbock

I. Frauenklinik, Klinikum Innenstadt, Ludwig-Maximilians-Universität München, Deutschland

Einführung: Bei der Auslösung infektionsbedingter Wehen wird ein Netzwerk para- und autokrin wirkender Mediatoren in den Eihäuten aktiviert. Dadurch kommt es letztlich zur Freisetzung von Prostaglandinen (PG), die am Myometrium kontraktil wirken. Auch das Kinin-System ist beteiligt: das Nonapeptid Bradykinin (BK), ein ubiquitärer Entzündungsmediator, stimuliert in vitro – vermittelt durch den BK B2-Rezeptor (B2R) – in kultivierten Deziduazellen die Freisetzung von PG und Interleukinen (IL). Nun stellt sich die Frage, welcher Stellenwert dem Kinin-System bei der Aktivierung des Mediatoren-Netzwerks der Eihäute zukommt. *Material und Methode:* Es wurden Zellsuspensionen von Amnion und Dezidua hergestellt und in Kultur gebracht. Nach zwei Passagen wurden Bindungsstudien unter Verwendung von tritiiertem BK (spezifischer Ligand des B2R) und des-Arg-Kallidin (dAK; spezifischer Ligand des B1-Rezeptors [B1R]) durchgeführt. Für kompetitive Bindungsstudien kamen nicht-markierte Liganden mit unterschiedlicher Affinität zum B1R und B2R zum Einsatz. Um die Regulation der Rezeptoren zu untersuchen, wurden die Zellen mit dem inflammatorischen Zytokin IL-1β vorinkubiert. *Ergebnisse:* Äquilibriumsstudien zeigten spezifische und sättigbare Bindungsstellen für BK, nicht aber für dAK. In den kompetitiven Studien wurde nachgewiesen, dass die Bindungscharakteristik dem B2R entspricht. Die Inkubation mit IL-1β führte zu einer deutlichen Zunahme der spezifischen Bindung von BK, nicht aber von dAK. Dieser Effekt ist abhängig von der Proteinsynthese. *Schlussfolgerung:* Zellen von Amnion und Decidua exprimieren den B2R nicht nur konstitutiv, sondern nach einem entzündlichen Stimulus auch vermehrt. Damit ist eine wesentliche Vorbedingung für eine Beteiligung des Kinin-Systems an der Auslösung infektionsbedingter Wehen erfüllt. Der B1R wird nicht exprimiert.

7

Endothelin-1/Endothelin-Rezeptor-System im Trophoblasten aus dem ersten Trimenon der humanen Schwangerschaft

M. Cervar[1], S. Barth[1], G. Huppertz[2], G. Desoye[1]

[1] Geburtshilflich-gynäkologische Universitätsklinik Graz, Österreich; [2] Institut für Anatomie, Aachen, Deutschland

Einführung: Die Zugabe von Endothelin-1 (ET-1) zu Trophoblastzellen (TC) vom ersten Trimenon der humanen Schwangerschaft stimuliert die Proliferation über beide ET-Rezeptor-Subtypen (ETA, ETB), während die Invasion nur über ETB stimuliert wird. Es sollte geklärt werden ob 1. TC aus dem ersten Trimenon ET-1 sezernieren und 2. sich die Sekretion von ET-1 und die Expression von ETA und ETB bei invasiven und proliferativen TC abhängig von der Schwangerschaftswoche (SSW) unterscheiden. *Methoden:* TC wurden nach Standardmethoden aus Plazenten normaler Schwangerschaften der SSW 6–9 (n = 7) und SSW 10–12 (n = 6) isoliert, und danach entsprechend ihrem Integrinexpressions-Muster weiter in invasive und proliferative TC aufgetrennt. Nach der Inkubation auf Plastik bzw. Matrigel wurde die Sekretion von ET-1 nach 24 h in den Kulturmedien durch Radioimmunoassay (RIA) gemessen. Die Expression von ETA und ETB wurde mit «reverse transcriptase polymerase chain reaction» (RT-PCR) und Immunhistochemie nachgewiesen. *Ergebnisse:* Die ET-1 Sekretion war am Ende des ersten Trimenon (pmol/10^6 Zellen) sowohl bei den proliferativen (SSW 6–9: 18 ± 5; SSW 10–12: 261 ± 21) als auch bei den invasiven (SSW 6–9: 112 ± 19; SSW 10–12: 404 ± 52) Zellen auf Matrigel deutlich höher ($p < 0.05$), wogegen sie bei allen Zellen, die in Abwesenheit von extrazellulärer Matrix (Matrigel) kultiviert wurden, unabhängig von der SSW geringer war. Bis zur 12. SSW exprimierten beide Zelltypen 2–3mal mehr ETB als ETA mRNA, in der 12. SSW sogar das 20fache. Immunhistochemische Untersuchungen zeigten, dass ETA in der proximalen (proliferativen) Zone der Zellsäule prädominant ist, wogegen ETB in der distalen (invasiven) Zone überwiegt. *Schlussfolgerungen:* Die Ergebnisse zeigen, dass TC aus dem ersten Trimenon 1. ET-1 sezernieren, abhängig von extrazellulärer Matrix und besonders im späteren ersten Trimenon, 2. mehr ETB- als ETA-Rezeptoren enthalten, besonders in der 12. SSW, und 3. eine der Funktion des konkreten Zelltyps entsprechende Verteilung der ET-Rezeptoren aufweisen. Dies zeigt, dass die Eigenschaften und die Funktion des Trophoblasten sich innerhalb des ersten Trimenon der Schwangerschaft ändern, was bei allen nachfolgenden Studien berücksichtigt werden muss.

8

Neuromotorische Langzeitentwicklung von Kindern nach enddiastolischem Block in der Schwangerschaft

A.K. Ertan, H.J. Hendrik, A. Stamm, I. Tossounidis, M. Holländer, W. Schmidt

Univ.-Frauenklinik und Poliklinik mit Hebammenlehranstalt (Dir.: Prof. Dr. Dr. h.c. mult. W. Schmidt), D-66421 Homburg/Saar, Deutschland

Einführung: Fälle mit dopplersonographischem Verlust der Enddiastole in der A. umbilicalis oder der fetalen Aorta (enddiastolischer Block, EDB) zählen zum geburtshilflichen Hochrisikokollektiv mit einer Inzidenz von 2–8% dieser Fälle. Beim Vorliegen eines EDB wird ein Zusammenhang mit einer intrauterinen Hypoxie vermutet. Perinatale Morbidität und Mortalität sind erhöht. Über langfristige Entwicklungsstörungen dieser Kinder ist dahingegen wenig bekannt. *Fragestellung:* Wie hoch ist die Rate der neonatalen Morbidität mit einer folgenden bleibenden neuromotorischen Entwicklungsretardierung bei den Kindern nach einem EDB in den fetalen Gefässen während der Schwangerschaft? *Methode:* Die neuromotorische Entwicklung als Kriterium der Langzeitmorbidität wurde in zwei nach dem Schwangerschaftsalter bei Entbindung parallelisierten Gruppen prospektiv untersucht. 30 Kindern mit einem unauffälligen Doppler-Sonographie-Befund in den fetalen Gefässen wurden 30 Kinder mit einem EDB in der A. umbilicalis und/oder fetalen Aorta gegenübergestellt. Wir verwendeten dafür die «Münchner Funktionelle Entwicklungsdiagnostik» nach Hellbrügge. Das somatische Alter der Kinder lag zum Zeitpunkt der neuromotorischen Untersuchung bei bis zu 36 Monaten. Für jede Funktionskategorie wurde das Entwicklungsalter festgelegt und die Abweichung vom korrigierten Alter in Monaten berechnet. *Ergebnisse:* Seit 1988 beobachteten wir 120 Feten mit einem EDB. Neben pränatalen Auffälligkeiten wurde das peripartale outcome sowie die neuromotorische Langzeitentwicklung von Kindern mit diesen hochpathologischen Doppler-Flow-Befunden zusammengestellt. Das mittlere Gestationsalter zum Zeitpunkt der Entbindung lag bei diesem Kollektiv von n = 120 Kindern bei 32+5 SSW, das mittlere Geburtsgewicht bei 1385 g. Die Rate von schwer dystrophen Kindern (<5% Perc.) betrug 69%. Die perinatale

Mortalität betrug 18%. 80% der Kinder mit einem EDB wiesen eine pathologische Perfusion in der A. cerebri media auf («Sauerstoffsparschaltung»), während dies nur in 7% der Fälle mit einem normalen Doppler-Flow-Befund beobachtet wurde. Zwischen beiden Kollektiven fanden sich signifikante Unterschiede hinsichtlich Gewicht, Längenwachstum und Kopfumfang sowohl bei der U1 als auch bei der U7. Die durchschnittliche neuromotorische Entwicklung der Kinder mit EDB war gegenüber Kindern ohne Plazentafunktionsstörung verzögert: 33% der Kinder mit einem EDB zeigten eine neuromotorische Entwicklungsstörung gegenüber 17% der Kinder mit unauffälligem Doppler-Flow-Befund. Die Abweichungen vom korrigierten Alter lagen im wesentlichen bei den Funktionsbereichen Grobmotorik, Wahrnehmungsverarbeitung und Sprache. Von Bedeutung für die kindliche Entwicklung war insbesondere der sogenannte «brain sparing effect»: Ausschliesslich bei den später auffälligen Kindern wurde in den Cerebralgefässen ein enddiastolischer Flussverlust beobachtet. *Schlussfolgerungen:* Das Auftreten eines enddiastolischen Blockes ist als ernstes sonographisches Zeichen zu werten. Kinder mit dieser Perfusionsstörung haben eine deutlich erhöhte Mortalität und folgenschwerere Morbidität. Das Risiko für eine spätere neuromotorische Entwicklungsstörung ist insbesondere bei Versagen des sog «brain sparing effect» deutlich erhöht gegenüber Kindern mit einem unauffälligem Doppler-Flow-Befund und vergleichbarem Schwangerschaftsalter bei Geburt.

9

Auswirkungen von Schwangerschaft und Geburt auf die Morphologie und Funktion des anorektalen Kontinenzorgans

A. Faridi[1], St. Willis[2], P. Schelzig[1], T. Karasu[1], V. Schumpelick[2], W. Rath[1]

[1]Universitätsfrauenklinik für Gynäkologie und Geburtshilfe und [2]Chirurgische Universitätsklinik der RWTH Aachen, Deutschland

Einführung: Dysfunktionen des anorektalen Kontinenzorgans als Folge der Geburt sind weitaus häufiger als bisher angenommen. Eigene Befragungen von über 200 Frauen mehr als 5 Jahre nach der letzten Geburt ergaben bei 19,7% der Befragten anale Kontinenzstörungen (u.a. Flatus, Stuhldrang und unvollständige Entleerung). *Fragestellung:* Treten nach einer Spontangeburt sonomorphologische Veränderungen auf und wie wird dadurch die Funktion des anorektalen Kontinenzorgans beeinflusst? Sind diese Auswirkungen ausschliesslich Folge der Geburt oder kann die Schwangerschaft selbst derartige Veränderungen verursachen? *Material und Methode:* Bei 23 Erst- und 17 Mehrgebärenden wurde vor der Geburt (ab 32+0 SSW) und 6–12 Wochen nach einer unkomplizierten Spontangeburt eine anorektale Funktionsdiagnostik durchgeführt. 10 Patientinnen stellten sich 6–12 Monate nach der Geburt zu einer dritten Untersuchung vor. Als Kontrollgruppe dienten 10 Erstgebärende, die durch Kaiserschnitt entbunden wurden. Die Funktionsdiagnostik umfasste: 1. ein standardisiertes Interview 2. die Analsonographie 3. die anorektale Manometrie 4. die Ballondilatation des Anorektums und 5. die Leitungsgeschwindigkeit des N. pudendus. *Ergebnisse:* Erstgebärende nach Kaiserschnitt zeigten weder Funktionseinschränkung noch sonomorphologische Schäden des Anorektums. Nach vaginalen Entbindungen fanden sich bei 17,9% (5/28) morphologische Schäden im muskulären Apparat. Bei 3,6% (1/28) der Patientinnen nach vaginaler Entbindung war die Pudenduslatenzzeit deutlich verlängert. Der rektoanale Inhibitionsrefelx (RAIR) konnte bei allen Frauen ausgelöst werden. Der maximale Kneifdruck und die Analkanallänge waren signifikant erniedrigt. Eine Verminderung des Ruhedruckes fand sich bei der einzigen Patientin mit einem DR IV (3,6%). 6–12 Monate postpartal war die Symptomatik rückläufig. *Schlussfolgerungen:* Die Schwangerschaft selbst führt nicht zu Beeinträchtigungen des anorektalen Kontinenzorgans. Nach vaginalen Entbindungen treten morphologische Defekte und Funktionseinschränkungen des Anorektums signifikant häufiger auf, unabhängig davon, ob eine Episiotomie durchgeführt wurde oder nicht.

10

Fetale Zellen im mütterlichen Blut: Diagnostische und klinische Aspekte

S. Hahn, C. Troeger, X.Y. Zhong, S. Schatt, M.R. Bürk, W. Holzgreve

Universitäts-Frauenklinik, Schanzenstr. 46, CH–4031 Basel, Schweiz

Einführung: Während der Schwangerschaft treten fetale Zellen in den Kreislauf der Schwangeren über. Da es möglich ist, solche fetalen Zellen anzureichern und mittels molekularbiologischer Methoden wie Fluorezenz-in-situ-Hybridisierung (FISH) oder Polymerase-Ketten-Reaktion (PCR) auf chromsomale Störungen oder genetische Defekte zu untersuchen, besteht die Hoffnung, diese Methodik für eine nicht-invasive pränatale Diagnostik zu verwenden. Dieser Aspekt wird momentan in einer gross angelegten Studie, an der auch unser Labor teilnimmt, unter der Aufsicht der US-amerikanischen Gesundheitsbehörde NIH überprüft. *Methodik:* Nach der Anreicherung mittels magnetisch-aktivierter Zellsortierung (MACS) werden die fetalen Zellen entweder mit FISH-Sonden oder mit der Einzelzell-PCR analysiert. *Ergebnisse:* Durch die Erfahrung aus mehr als 500 Fällen im vergangenen Jahr konnten wir zeigen, dass fetale Zellen mit hoher Wahrscheinlichkeit aus jeder Schwangerschaft angereichert werden können, und dass diese mit einer Sensitivität von fast 80% nachgewiesen werden können. Es ist uns ausserdem möglich, durch eine Multiplex-PCR mehrere Gene, z.B. RhD, SRY und β-Globin aus einer fetalen Zelle zu analysieren. Ein Nebenbefund unserer Studie war, dass bei einer Präeklampsie fetale Zellen in einem erhöhten Mass in der Peripherie der Schwangeren auftreten. *Schlussfolgerung:* Da das momentane Mass an Genauigkeit ebenbürtig oder sogar besser als andere nicht-invasive Methoden ist, eignet sich diese Methodik als zusätzliches Screening. Für die Routinediagnostik besteht aber noch die Aufgabe, die Methode möglichst zu vereinfachen oder sogar zu automatisieren. Offen bleibt, was für eine Rolle fetale Zellen bei der Entwicklung von Schwangerschaftsstörungen spielen.

11

Zytokinstimulation von myozytären Zellkulturen

H. Helmer, U. Tretzmüller, P. Husslein, M. Knöfler

Abteilung für Geburtshilfe und Gynäkologie, Univ.-Klinik für Frauenheilkunde Wien, Währinger Gürtel 18–20, A–1090 Wien, Österreich

Einleitung und Aufgabenstellung: Im Prozess der Wehenauslösung durch aszendierende Infektionen scheint auch das Myometrium ein Zielorgan für Interleukine (IL) darzustellen. So konnte eine Zytokin-induzierte Prostaglandinsynthese in der Myozyten-Zellkultur nachgewiesen werden. Zytokine könnten auch eine proliferative Wirkung auf Oxytocin-Rezeptoren (OTR) haben. Diese Vermutung wird durch die Präsenz von «acute phase reactant-responsive elements» in der Promotersequenz des OTR-Gens unterstützt. Ziel dieser Arbeit war es, Zytokin-stimulierte Reaktionen an Myometriumzellkulturen zu untersuchen, um dadurch die Präsenz eines zytokinen Netzwerkes nachzuweisen. Weiters sollte in diesem Zusammenhang ein möglicher Einfluss auf die Genexpression von OTR untersucht werden. *Material und Methode:* Eine kommerziell erworbene uterine Muskellzellkultur (UtSMC) sowie eine Zellinie immortalisierter Muskelzellen aus dem Myometrium einer Schwangeren wurden 6, 12, 24 und 48 Stunden in einem Medium mit humanem, rekombinantem IL-1, IL-6, Tumornekrose-Faktor alpha (TNF_α) sowie ohne IL-Stimulation kultiviert. Dies fand sowohl unter Standardkulturbedingungen unter 20% O_2 als auch unter Hypoxie (3% O_2) statt. Der Proliferationsstatus wurde durch Flow-Zytometrie unter Verwendung eines FACscans ermittelt. Die Konzentrationen an IL-1, IL-6, IL-8 und TNF_α in den Zellkultur-Überständen wurden durch ELISA bestimmt. Die OTR-Genexpression wurde durch kompetitive reverse Transkriptions-PCR quantifiziert. *Ergebnisse:* 1. IL-1 beeinflusst die OTR-Genexpression negativ, während IL-6, TNF_α oder Hypoxie keinen Einfluss auf diese Expression hatte. 2. Eine Inkubation mit IL-1 und TNF_α induziert die IL-6- und IL-8-Synthese, weiters kommt es durch IL-6 zu einer Stimulation der IL-8-Produktion. Die TNF_α-Synthese durch Myozyten konnte durch die verwendeten Interleukine nicht beeinflusst werden. Hypoxie hatte keinen Einfluss auf die Synthese der untersuchten Interleukine. 3. Die OTR-Genexpression war in subkonfluenten Zellschichten höher als in konfluenten Zellschichten der Zellkultur. *Schlussfolgerungen:* Das Myometrium scheint auch den Funktionen eines komplexen, zytokinen Netzwerkes, sei es im Bereich des Zellwachstums oder der Induktion der Wehentätigkeit, zu unterliegen. OT-Rezeptoren könnten neben ihrer Funktion der Sensibilisierung für Kontraktionen auch bei der Proliferation des Myometriums eine Rolle spielen, da ihre Genexpression eine Abhängigkeit vom Wachsum in der Zellkultur zeigt.

12

Die Kineto-Kardiotokographie verbessert die klinische Wertigkeit der Dopplersonographie bei chronischer Plazentainsuffizienz

H.J. Hendrik, A.K. Ertan, I. Tossounidis, M. Holländer, W. Schmidt

Univ.-Frauenklinik und Poliklinik mit Hebammenlehranstalt, (Dir.: Prof. Dr. Dr. h.c. mult. W. Schmidt), D–66421 Homburg/Saar, Deutschland

Einführung: Der Einsatz der biophysikalischen Untersuchungsmethoden bei der Überwachung der Schwangerschaft ändert sich zunehmend hinsichtlich der Fragestellung: Eine Verbesserung der Sensitivität der Diagnose der chronischen Plazentainsuffizienz ist schwerlich zu erzielen. Vielmehr besitzt die Beurteilung ihrer Dynamik Bedeutung für die Definition der Untersuchungsintervalle, der Hospitalisierungsnotwendigkeit und die Geburtsplanung. *Fragestellung:* Welchen Stellenwert besitzen Dopplersonographie, quantitative Bewegungsanalyse und Herzfrequenzbeurteilung (FHF) bei sonographischem Verdacht auf chronische Plazentainsuffizienz zur Vorhersage konsekutiver Komplikationen? *Methode:* In einer prospektiven Studie werden seit 1.3.1994 alle Patientinnen mit dem Verdacht oder Ausschluss einer chronischen Plazentainsuffizienz ab der 28+0 SSW einer systematischen biophysikalischen Untersuchung unterzogen (ABCD-Profil). Mittlerweile liegen die Auswertungen von 1000 (bei bisher 4000 Untersuchungen) vor. Neben den Daten der antepartalen Untersuchungen werden die anamnestischen und klinischen Daten zum peripartalen Verlauf ausgewertet. Verglichen wurde eine Gruppe mit chronischer Plazentainsuffizienz mit einer Gruppe normal verlaufender Schwangerschaften. *Ergebnisse:* Die Sensitivität der Ultraschallbiometrie für die chronische Plazentainsuffizienz betrug 68% bei einer Spezifität von 69%. Die Doppler-Flow-Diagnostik hatte eine Sensitivität von 49% bei einer Spezifität von 86%. Die quantitative Bewegungsanalyse im KCTG erzielte eine Sensitivität für die IUGR von 36% im Vergleich zur CTG-Analyse allein von 15%. Die Spezifität betrug 83% bzw. 94%. Mit abnehmender Distanz zur Geburt verbesserte sich die Sensitivität der Dopplersonographie signifikant auf 60% und die Spezifität auf 95%. Damit ist ersichtlich, dass die Doppler-Flow-Untersuchung die Dynamik der chronischen Plazentainsuffizenz gut erfassen kann. Die quantitative Bewegungsanalyse und die FHF zeigten keine zeitlich abhängigen Veränderungen. Unterschiede im Bewegungsverhalten im KCTG fanden sich bei IUGR im Vergleich zur normalen Schwangerschaften nur bei reaktivem CTG. Bei normalen Kindern konnte mithilfe der FHF- oder Bewegungsanalyse kein intrapartaler Distress vorhergesagt werden. Fälle mit IUGR und nonreaktivem CTG hatten aber signifikant häufiger eine intrapartale Asphyxie bei reduzierter Bewegungsaktivität im antepartalen CTG. Bei Verdacht auf IUGR in der Biometrie fanden sich 68% pathologische Flow-Befunde. In 58% dieser pathologischen Befunde war auch eine pathologische Bewegungsaktivität als Zeichen einer zunehmenden Kompromittierung nachzuweisen. Diese Fälle hatten in einem Viertel auch eine auffällige FHF. Demgegenüber fanden sich bei sonographischem Verdacht auf IUGR und normalem Flow nur in 22% ein auffälliges Bewegungsmuster. In diesen Fällen wurde aber niemals eine pathologische FHF registriert. *Schlussfolgerung:* Die Dynamik der chronischen Plazentainsuffizienz kann nur durch den kombinierten Einsatz der biophysikalischen Untersuchungen beurteilt werden. Das Kinetokardiotokogramm ist wichtig für die Abschätzung der Dekompensation der chronischen Plazentainsuffizenz und zur Vorhersage subpartaler Komplikationen beim kompromittierten Feten und daher für die Organisation des Geburtsmanagements wichtiger als die konventionelle Beurteilung des CTG alleine.

13

Seruminduzierte endotheliale Apoptose bei der Präeklampsie – Nachweis von Phosphatidylserin durch immunfluoreszenzmikroskopische Markierung mit Annexin-V an kultivierten humanen Endothelzellen

W. Heyl, F. Reister, B. Huppertz[1], S. Handt[2], M. Reitmaier, P. Kaufmann[1], W. Rath

Frauenklinik für Gynäkologie und Geburtshilfe, [1]Institut für Anatomie, [2]Institut für Pathologie, Universitätsklinikum der RWTH Aachen, Deutschland

Fragestellung: Im Zentrum der pathophysiologischen Abläufe bei der Präeklampsie steht die Endothelzellschädigung/-aktivierung, für die ein bisher unbekannter «Serumfaktor» plazentaren Ursprungs verantwortlich gemacht wird. Die Translokation von intrazellulärem Phosphatidylserin (PS) auf die Aussenseite der Zellmembran gilt als Marker der frühen, reversiblen Phase der Apoptose. Dieser sog. PS-Flip wird durch die Bindung von Annexin-V an der Zellmembran detektiert. Uns interessierte in diesem Zusammenhang die Frage, inwieweit eine durch Serum verursachte Apoptose die zelluläre Integrität des Endothels beeinflussen kann. *Material und Methode:* Humane Nabelvenenendothelzellen (HUVEC's) wurden zunächst nach der Methode von JAFFE kultiviert und nach zweimaligem Passagieren konfluent in 4-Kammer-Objektträgern in einer Konzentration von 50 000 Zellen/cm^2 ausgesät. Nach einer Ruheperiode von 6 Stunden erfolgte die Stimulation der Endothelien mit den Seren von jeweils 10 Patientinnen mit Präeklampsie (ACOG-Definition), 10 normotensiven Schwangeren und 10 nichtschwangeren gesunden Frauen für die Dauer von 24 Stunden. Die semiquantitative Bestimmung von Phosphatidylserin auf der Membranoberfläche wurde mittels Annexin-V-Fluorescein (ApoAlert Annexin V, Clontech, Palo Alto, Calif., USA) durchgeführt. Der Nachweis von Annexin auf den Endothelien erfolgte mit Hilfe der Immunfluoreszenzmikroskopie bei einer Wellenlänge von 488 nm und einer 640fachen Vergrösserung. *Ergebnisse:* Während wir nach Stimulation mit den Seren der normotensiven schwangeren und nichtschwangeren Frauen lediglich wenige fluoreszierende Endothelzellen (<3/Gesichtsfeld) nachweisen konnten zeigte sich nach Stimulation mit Präeklampsieserum eine deutlich erhöhte Zahl an Annexin-positiven Zellen (5–10/Gesichtsfeld). *Schlussfolgerung:* Erstmals konnte der Nachweis erbracht werden, dass das Serum präeklamptischer Patientinnen Endothelzellen in vitro zu einer Translokation von PS stimulieren kann. Diese ersten Befunde sprechen für eine seruminduzierte Beeinträchtigung der zellulären Integrität bei der Präeklampsie mit nachfolgender Initiierung der frühen Apoptose.

14

Steuerung der fetalen Lungenreife durch das Enzym 11 β Hydroxysteroid-Dehydrogenase

S. Hundertmark, V. Ragosch, H. Weitzel
Universitätsfrauenklinik, Klinikum Benjamin Franklin, FU Berlin, 12200 Berlin, Deutschland

Einführung: Die Surfactantsynthese der fetalen Lunge wird massgeblich durch endogene Glukokortikoide (GCS) reguliert. Fehlt ihre Wirkung, ist ein schweres Atemnotsyndrom die Folge. Das Isoenzym 1 der 11β-Hydroxysteroid-Dehydrogenase (11β-HSD1) metabolisiert inertes Cortison (Mensch) bzw. 11-Dehydrocorticosteron (Ratte) zu biologisch aktivem Cortisol (Mensch) bzw. Corticosteron (Ratte) und bewirkt so die intrazelluläre GCS-Wirkung. Die vorliegende Studie soll einen Zusammenhang zwischen der enzymatischen 11β-HSD1-Aktivität und der GCS-induzierten fetalen Lungenreife darstellen. *Material und Methoden:* Untersucht wurde der Effekt der 11β-HSD1-Inhibition in vivo durch systemische Gabe des Enzyminhibitors Glycyrrhetininsäure bei fetalen Ratten (Behandlung während Gestationstag 13–21) bzw. durch –/– knock-out des 11β-HSD1-Gens bei fetalen Mäusen auf die fetale Lungenreife. Als Parameter dienten elektronen- und lichtmikroskopische Untersuchungen der Lungenmorphologie, die L/S Ratio im Fruchtwasser, die Synthese des SP-A-Proteins und die SP-A-mRNA Synthese am Gestationstag 19 und 21 (Ratte) und Gestationstag 17 und 19 (Maus). *Ergebnisse:* Glycyrrhetininsäure-behandelte Ratten (Gestationstag 21) bzw. 11β-HSD1 knock-out Mäuse (Gestationstag 19) zeigen im Vergleich zur Kontrolle bzw. den Wildtypen eine pränatal hochsignifikante Einschränkung der Lungendifferenzierung (lamellar body-Synthese und Ausschüttung von Surfactant in die Alveolen), eine Verminderung der L/S Ratio und der SP-A und SP-A mRNA-Synthese auf. Postpartal waren die Ratten und Mäuse lebensfähig, wiesen allerdings morphologische Zeichen des Atemnotsyndroms (Atelektasen und Lungenemphysem) auf. *Schlussfolgerung:* Mit den vorliegenden Daten konnte erstmals gezeigt werden, dass die physiologische Lungenreifung nicht nur von GCS induziert wird, sondern dass die GCS selbst einem Regulationsmechanismus unterworfen sind. Dieser bisher unbeachtete Regulationsmechanismus könnte einen neuen Ansatz für die Erforschung induktiver Substanzen bieten.

15

Dopplersonographische und immunhistochemische Differenzierung zwischen vitaler Tubargravidität und Tubarabort – Klinische Konsequenzen

B. Kemp, S. Kertschanska[1], A. Funk, P. Kaufmann[1], W. Rath
Frauenklinik und [1]Institut für Anatomie, Universitätsklinikum Aachen, Deutschland

Einführung: Während vitale Tubargraviditäten bei der transvaginalen Dopplersonographie nach eigenen Untersuchungen einen signalreichen Gefässring um die extrauterine Fruchtblase aufweisen, finden sich dort bei den in Regression begriffenen Tubaraborten höchstens 3 schwache Gefässsignale. Ziel unserer Untersuchung war die Korrelation dieser Befunde zu den jeweiligen Implantations- und Plazentationsmustern und die Erarbeitung von Empfehlungen für das klinische Procedere. *Material und Methoden:* An Paraffinschnitten von 13 Tubenpräparaten mit dopplersonographisch vitaler Tubargravidität und 8 mit Tubarabort wurden immunhistochemisch folgende Parameter untersucht: 1. Die Trophoblastinvasion mit Anti-Zytokeratin, 2. die Trophoblastproliferation mit MIB-1 und 3. die maternale und fetale Angiogenese mit anti-CD 34 sowie 4. der Aufbau der Extrazellulärmatrix und die Expression von Integrinen. Die Auswertung erfolgte durch computerunterstützte Morphometrie, die statistische Evaluation mit Hilfe des Student t-Tests ($p < 0.05$). *Ergebnisse:* Im Vergleich zu den Tubaraborten fanden wir bei vitalen Extrauteringraviditäten 1. eine tiefe Trophoblastinvasion in die verdickte mesosalpingeale Seite der Tubenwand (4014 µm), während die Invasion beim Tubarabort nur oberflächlich (954 µm; $p < 0.001$) auf der anti-mesosalpingealen Seite stattfand; 2. eine verstärkte Trophoblastproliferation (7,25 proliferierende Trophoblastzellen/ 100 µm trophoblastäre Basalmembran vs. 1,6/100 µm; $p < 0.001$) und 3. eine vermehrte Kapillarisierung des Zottenstromas (8,09% vs. 1,67%; $p < 0{,}001$) sowie 4. die Bildung einer invasionstypischen Matrix und einen frühzeitigen Integrin-Switch mit Expression von invasionsrelvanten Integrin-Untereinheiten (α5β1). *Schlussfolgerungen:* Unsere immunhistochemischen Befunde korrelieren zur präoperativen Dopplersonographie. Sie zeigen, dass die Entwicklung einer Tubargravidität im wesentlichen vom Implantationsort abhängig ist. Aufgrund der ausgeprägten Invasion, Proliferation und Kapillarisierung bei der vitalen Tubargravidität ist hierbei ein aktives Management (operativ, Methotrexat) zu empfehlen, während beim Tubarabort auch ein abwartendes Verhalten bei klinisch stabiler Patientin möglich ist.

16

Regulation der αhCG Expression während der in vitro Differenzierung villöser Trophoblasten

M. Knöfler, L. Saleh, P. Husslein
Univ. Klinik für Frauenheilkunde, Abt. Geburtshilfe und Gynäkologie, Währinger Gürtel 18–20, EBO 5Q, A–1090 Wien, Österreich

Einführung und Fragestellung: Die Regulation der hCG Expression wurde bislang in Choriokarzinoma-Zellen studiert, die als Modellsystem für Trophoblasten herangezogen wurden, jedoch gegenüber Primärzellen veränderte hCG Spiegel aufweisen. Über die Kontrollmechanismen der hCG Produktion in nicht-transformierten Zellen ist nur wenig bekannt. Wir haben daher die Regulation der αhCG Produktion in villöse Zytotrophoblasten der Terminplazenta untersucht, die in vitro spontan zu mehrkernigen, hormonsynthetisierenden Synzytien fusionieren. *Material und Methoden:* Primäre Trophoblasten wurden mittels Trypsin/DNase-Verdau aus Termin-Plazenta isoliert und über Percoll-Gradienten, sowie Immunopurifikation gereinigt. Folgende molekularen Untersuchungen wurden durchgeführt: Charakterisierung und Transfektionseffizienz der primären Trophoblasten, PCR-Isolierung und Klonierung des proximalen αhCG Promotors in einen Luziferase-Reporter, Transfektion von Kontroll-β-Galaktosidase- und Luziferase-Plasmiden, Messung der β-Galaktosidase (Transfektionseffizienz) und Luziferase-Produktion, Northernanalyse von endogener α und βhCG mRNA während der in vitro Differenzierung, Analyse der Luziferase-Aktivität des normalen und mutierten αhCG Promotors (Deletion der cAMP responsive elements [CRE]), Messung der αhCG Promotor-Aktivität während der Differenzierung und cAMP-Induktion, Analyse der CRE-bindenden Transkriptionsfaktoren und deren Phosphorylierung während der in vitro Synzytialisierung mittels EMSA (electro mobility shift assay). *Ergebnisse:* Die mRNAs für α und βhCG werden während der in vitro Synzytialisierung induziert. Der proximale Promotor des αhCG Gens sorgt für zellspezifische Transkription des Luziferase-Reporters und wird während der Differenzierung verstärkt abgelesen. Der Promotor ist cAMP-induzierbar und wird über Proteinkinase A-abhängige Signaltransduktion gesteuert. Die CREs sind für die differenzierungs-abhängige Promotor-Aktivität essentiell und binden phosphorylierte ATF-1 (activating transcription factor-1) und CREB-1 (cAMP responsive element-binding protein 1) Proteine. *Schlussfolgerung* Die Produktion des αhCG ist in Synzytien verstärkt und wird über die Transkription der mRNA gesteuert. Die differenzierungsabhängige Expression bedarf der CREs im αhCG Promotor. Die Induktion der Transkription ist durch den spontanen Anstieg des cAMP-Spiegels zu erklären und wird durch Proteinkinase A-vermittelte Phosphorylierung von CRE-bindenden Transkriptionsfaktoren hervorgerufen.

17

APC-Resistenz bei Schwangeren mit tiefer Venenthrombose, Präeklampsie und HELLP-Syndrom

T. Krauss, H. Augustin, W. Kuhn, G. Emons

Universitätsfrauenklinik Göttingen, Robert-Koch-Strasse 40, 37075 Göttingen, Deutschland

Einführung und Fragestellung: Die APC-Resistenz ist der häufigste Risikofaktor für die Entstehung einer Thrombose. Sie wird in mehr als 90% der Fälle durch eine Mutation im Gerinnungsfaktor V-Gen (Faktor V-Leiden) verursacht. Die Präeklampsie und das HELLP-Syndrom sind ebenfalls durch eine Aktivierung des Gerinnungssystems charakterisiert. Es sollte deshalb untersucht werden, wie häufig bei Schwangeren mit tiefer Venenthrombose, Präeklampsie oder HELLP-Syndrom eine durch APC-Resistenz bedingte Thrombophilie besteht. *Material und Methode:* Bei 16 Schwangeren mit tiefer Bein- bzw. Beckenvenenthrombose, 33 Patientinnen mit vorausgegangener Präeklampsie und 21 Frauen mit Zustand nach HELLP-Syndrom erfolgte eine genetische Analyse des Faktors V zur Identifizierung der Faktor V-Leiden-Mutation. Zusätzlich wurde bei den Patientinnen mit anamnestisch bekanntem HELLP-Syndrom post partum die Bestimmung der Gerinnungsparameter APC-Ratio, Protein C, Protein S und Antithrombin III durchgeführt. Ausserdem erfolgten Messungen der APC-Ratio bei 140 gesunden Blutspendern (70 Frauen und 70 Männer). Eine APC-Ratio <2.0 wurde als APC-Resistenz definiert. *Ergebnisse:* Bei 4 von 16 Patientinnen (25%) mit tiefer Bein- bzw. Beckenvenenthrombose und bei 4 von 33 Patientinnen (12%) mit vorausgegangener Präeklampsie konnte eine heterozygote Faktor V-Leiden-Mutation nachgewiesen werden. In der HELLP-Syndrom-Gruppe wurde bei 7 von 21 Frauen (33%) eine APC-Ratio <2.0 gemessen. Nur 4 dieser 7 Patientinnen (insgesamt 19%) wiesen eine heterozygote Faktor V-Leiden-Mutation auf. In jeweils einem Fall (5%) fand sich ein Protein C- bzw. Protein S-Mangel. Die Prävalenz der APC-Resistenz unter den gesunden Blutspendern betrug 5% und entspricht damit dem Vorkommen in der zentraleuropäischen Gesamtbevölkerung. *Schlussfolgerung:* Die APC-Resistenz scheint nicht nur eine entscheidende Rolle bei der Thromboseentstehung in den grossen Gefässen zu spielen, sondern auch die Gerinnung in den kleinen Gefässen der Plazenta und der mütterlichen Endstrombahn zu beeinflussen und so die Entwicklung von Präeklampsie und HELLP-Syndrom zu begünstigen.

18

Einblicke in die Ultrastruktur des Myometriums mittels gentechnologischer Methoden

D. Labeit[1,2], F. Melchert[1]

[1] Universitätsfrauenklinik Mannheim, [2] Europäisches Molekularbiologisches Forschungslabor, Heidelberg, Deutschland

Einführung: Obwohl die Funktion des Myometriums für die Existenz aller Säuger lebensnotwendig ist, bestehen keine nennenswerten molekularen Kenntnisse über dessen ultrastrukturellen Aufbau. Bisher konnte lediglich das kontraktile Filamentsystem Aktin und Myosin nachgewiesen werden. Die Existenz weiterer Filamentsysteme wurde postuliert, jedoch konnten diese bisher weder elektronenmikroskopisch noch histochemisch dargestellt werden. Wir entwikkelten eine Methode, die neben den bisher bekannten kontraktilen Filamenten noch weitere myofibrilläre Proteine darstellen kann. *Methode:* Niederprozentige Gelelektrophorese mit Myometriumbiopsien, die Proteine im Megadaltonbereich auftrennen kann. Injektion der Proteinbanden in Kaninchen zur Antikörpergewinnung. Mit diesen Durchmustern einer Myometrium-cDNS-Gen-Expressionsbank und Isolieren der cDNS-Klone, welche Fragmente der Myometrium-Megadalton-Proteine kodieren. Die auf RT-PCR-Techniken basierende Extensionen verschiedener positiver cDNS-Klone ermöglicht die Sequenzierung der gelelektrophoretisch aufgetrennten Proteine. *Ergebnisse:* Es konnten weitere myofibrilläre Proteine isoliert werden, z.B. Titin: Es ist das bisher grösste bekannte Protein des Menschen. Der genetische Code besteht aus 100 000 Basenpaare, die ein Protein mit über 30 000 Aminosäuren kodieren und auch eine Kinase-Domäne aufweist. Es überbrückt die gesamte Distanz der myofibrillären Matrix, wobei temporäre Bindungsstellen für Aktin, Myosin und die dense bodies bestehen, so dass ein kontraktiles Netzwerk aufgebaut wird. Auch steuert es während der Gravidität den Aufbau und die Ausrichtung von Aktin und Myosin, so dass am Geburtstermin vektorielle Austreibungskräfte entstehen. *Schlussfolgerung:* Die Endstrecke der myometrialen Kontraktilität, d.h. die Aktin-Myosin-Interaktion, wird durch differentielle Titinexpression in den verschiedenen Kompartimenten des Myometriums differentiell gesteuert. Damit eröffnen sich durch therapeutische Beeinflussung der Titin-Expression neue tokolytische Strategien.

19

Diagnostischer Wert der Pulsoxymetrie sub partu

A. Luttkus, J.W. Dudenhausen

Klinik für Geburtsmedizin, Charité Campus Virchow-Klinikum, Augustenburger Platz 1, 13353 Berlin, Deutschland

Fragestellung: Die Mehrzahl der Publikationen über den diagnostischen Wert der Pulsoxymetrie geben eine gute Spezifität, aber eine niedrige Sensitivität zur Diagnose der Hypoxie beim Feten an. Lässt sich die niedrige Sensitivität der Pulsoxymetrie zur Hypoxiediagnostik bestätigen und welche klinischen Konsequenzen ergeben sich daraus? *Methode:* In einer rein beobachtenden Untersuchung wurden 160 Feten mit Hypoxieverdacht mittels CTG und FBA überwacht. Zusätzlich erfolgte eine blindierte Erfassung der Sauerstoffsättigung (SpO_2) der Feten durch Pulsoxymetrie (N400/FS14; Nellcor) mit kontinuierlicher elektronischer Datenspeicherung. Zur Evaluierung des diagnostischen Wertes dieses Verfahrens wurde eine Hypoxiegruppe (n = 17) definiert über den pH-Wert und das aktuelle Basendefizit (ABE) aus der Nabelarterie (pH < 7,15 + ABE <–9,4) und mit einer definierten Normalgruppe verglichen. Die Blutgasanalysen erfolgten am Chiron 865 oder Radiometer ABL 525. Folgende Sättigungsparameter wurden für die gesamte Messzeit und die letzten 30 Minuten vor der Entbindung untersucht: Median und Perzentilenverteilung von SpO_2; Minuten und prozentualer Anteil unter 30% SpO_2. *Ergebnisse:* Zwischen dem Auftreten einer fetalen Hypoxie und den pulsoxymetrisch erfassten und evaluierten Sättigungsparametern besteht kein statistisch relevanter Zusammenhang. Dies gilt für einen Median unter 30%, eine Dauer von mehr als 17 Minuten unter 30% SpO_2 und eine Dauer über 17% der gesamten Messperiode unter 30% SpO_2.

Tab 1. Identifikation der Neugeborenen der Hypoxiegruppe durch den Median der SpO_2

Median SpO_2	Sensitivität (%)	Spezifität (%)	Fisher-exact Test
≤ 30% (5. Perz.)	9	94	0,4
≤ 35% (10. Perz.)	27	83	0,2
≤ 40% (25. Perz.)	54	70	0,09

Die direkte Gegenüberstellung von Sättigungswerten aus fetalem Scalpblut (Hämoxymetrie) und gleichzeitiger Pulsoxymetrie zeigt eine geringe Korrelation beider Methoden (r = 0,65) und erklärt die niedrige Sensitivität der Pulsoxymetrie. *Zusammenfassung:* Klinische Entscheidungen über die Geburtsleitung sollten nicht auf Werten der Pulsoxymetrie basieren. Der diagnostische Wert der Pulsoxymetrie sub partu erreicht nicht die Qualität der kombinierten Überwachung durch CTG und Fetalblutanalyse.

20

Zur Bedeutung der erhöhten Serumhyaluronankonzentration bei der Präeklampsie

D. Matejevic, S. Bussen, T. Müller, T. Steck, J. Dietl

Frauenklinik der Bayerischen Julius-Maximilians-Universität Würzburg, Josef-Schneider-Str. 4, 97080 Würzburg, Deutschland

Einleitung: Bei der Präeklampsie werden Serumfaktoren vermutet, die eine Gefässendothelzellaktivierung bewirken. Hyaluronan (HYA) und dessen spezifischer Rezeptor CD44 spielen bei der Aktivierung von Zellen eine zentrale Rolle. *Patientinnen und Methodik:* Es wurden Serumproben präeklamptischer (n = 10) und normotensiver (n = 10) Schwangerer gesammelt. Die Bestimmung der Serumkonzentration von HYA erfolgte mit einem Radioimmunoassay (Pharmacia & Upjohn GmbH, Freiburg) und die der löslichen CD44-Standardform (sCD44std) mit einem ELISA (Bender MedSystems, Wien). *Ergebnisse:* Die sCD44std-Serumkonzentrationen waren im Präeklampsiekollektiv leicht erhöht, jedoch statistisch nicht signifikant (328,3 ± 68,3 ng/ml vs. 292,9 ± 74,0 ng/ml). Hinsichtlich des HYA konnte jedoch im Präeklampsiekollektiv eine signifikant erhöhte Serumkonzentration gemessen werden (Median 79 ng/ml, Streubreite 53–165 ng/ml vs. Median 32 ng/ml, Streubreite 19–59 ng/ml). *Diskussion:* Die Herkunft des erhöhten HYA im Serum ist unklar. HYA könnte bei plazentarer fokaler Hypoxie aus der Plazenta stammen, da Hypoxie die HYA-Synthese stimuliert. HYA kann über endotheliales membrangebundenes CD44std eine zytoskeletonassoziierte zentripetale Tension der Endothelzelle bewirken. Eine Phosphorylierung des zytoplasmatischen Anteils des CD44std durch die Proteinkinase C ermöglicht dabei die Bindung von CD44std über ein intrazelluläres Adhäsionsmolekül Ankyrin mit dem Zytoskeleton. Die entstehenden para- bzw. interzellulären Zwischenräume haben eine Endothelpermeabilitätserhöhung zur Folge. Aktivierte Endothelzellen selbst sind auch in der Lage, HYA Proteinkinase C-abhängig zu synthetisieren. Auch kann HYA aus der subendothelialen Matrix in die Blutzirkulation gelangt sein. Bei HYA handelt es sich um einen potenten Serumfaktor, der bei der Präeklampsie die Zellaktivierung bewirken, andererseits auch selbst das Produkt der Zellaktivierung darstellen kann. Inwieweit die Konzentration löslicher Adhäsionsmoleküle wie die des sCD44std tatsächlich die der membrangebundenen repräsentiert, bleibt offen.

Unterstützt durch die Forschungsförderung des Freistaates Bayern.

21

Uterine natürliche Killerzellen (uNK) sind Targets für ein Trophoblast-spezifisches Zytokin, Prolactin-like Protein-A (PLP-A)

H. Müller[1,], T. Reimer[1], K. Friese[1], M.J. Soares[2]*

[1] Universitäts-Frauenklinik Rostock, Deutschland, [2] Dept. Mol. und Integr. Physiol., Kansas Univ. Med. Ctr., Kansas City, Kans., USA

[*] unterstützt durch DFG-Stipendium (Mu 1183/1-1)

Einführung und Fragestellung: Die durch Trophoblastzellen exprimierten Hormone/Zytokine der Prolaktin (PRL)-Genfamilie beeinflussen massgeblich die Gestaltung einer für die embronale Entwicklung geeigneten intrauterinen Umgebung. Prolactin-like Protein-A (PLP-A) ist ein Glykoprotein bei Ratte und Maus mit bislang unbekannter Funktion und wird von Trophoblastzellen spezifisch zum Zeitpunkt der Entstehung der chorio-allantoischen Plazenta sezerniert. Ziel der vorgelegten Untersuchung war die Identifikation von Targets für PLP-A. *Material und Methode:* PLP-A wurde als Fusionsprotein mit sekretorischer alkalischer Phosphatase (SEAP) markiert. An Gefrierschnitten und Zytospinpräparaten von MACS-isolierten uNK, der NK-Zellinie RNK-16 sowie in Geweben NK-Zell-definienter tgε26-Mäuse wurde die Bindung von markiertem PLP-A untersucht. Der monoklonale Antikörper gegen den NK-Aktivierungsmarker gp42 diente zur uNK-Isolation sowie für immunhistochemische Untersuchungen. ^{51}Cr-Zytotoxizitätsassays von RNK-16 Effektoren gegen YAC-Targets wurden für die Beurteilung funktioneller Aspekte der PLP-A Bindung verwendet. *Ergebnisse:* PLP-A interagiert spezifisch mit einer Population uteriner natürlicher Killerzellen (uNK) am mesenterialen Pol des schwangeren und pseudopregnanten Uterus. NK-Vorläufer in Milz und embryonaler Leber binden ebenfalls PLP-A. Diese Beobachtungen werden gestützt von der gleichartigen Verteilung mit dem NK-Aktivierungsmarker gp42 und dem Fehlen der PLP-A-Bindung in NK-defizienten tgε26-Mäusen. Darüberhinaus konnte demonstriert werden, dass PLP-A spezifisch und dosisabhängig die Zytotoxizität der NK-Zelllinie RNK-16 hemmt. *Schlussfolgerungen:* Die vorliegenden Ergebnisse belegen einen neuartigen Aspekt der fetomaternalen Kommunikation. Es ist anzunehmen, das PLP-A einen wesentlichen Faktor der Signalübertragung von Trophoblastzellen zu uterinen NK-Zellen darstellt.

22

Bedeutung von leukozytären Matrixmetalloproteasen (MMP) und IL-8 beim Blasensprung

R.G.W. Osmers[1], F. Diedrich[1], U. Bläser[2], H. Tschesche[2]

[1] Universitätsfrauenklinik Göttingen, Robert-Koch-Strasse 40, 37075 Göttingen, [2] Universität Bielefeld, Biochemie 1, Universitätsstrasse 25, 33615 Bielefeld, Deutschland

Ziel: Ziel der Untersuchung war es zu klären, inwieweit IL-8 und leukozytäre MMPs (MMP-8 und MMP-9) am Blasensprung beteiligt sind. *Studiendesign:* In einer prospektiven Studie werden Eihäute von Patienten mit und ohne Blasensprung miteinander verglichen. *Methoden:* Insgesamt wurden fünf unterschiedliche Gruppen untersucht: 1. Blasensprung, keine Wehentätigkeit, kein Hinweis auf Amnioninfektionssyndrom (AIS) (n = 12) 2. Blasensprung, Wehentätigkeit, kein Hinweis auf AIS (n = 14) 3. Blasensprung, Wehentätigkeit, AIS (n = 10) 4. kein Blasensprung, keine Wehentätigkeit, kein Hinweis auf AIS (n = 15) 5. Kein Blasensprung, Wehentätighkeit, kein Hinweis auf AIS (n = 15). Alle Patientinnen werden einer primären oder sekundären Sectio unterzogen. Zum Ausschluss eines AIS wurden bakteriologische Plazentaabstriche und histologische Plazentauntersuchungen vorgenommen. Der untere Eipol wurde bei allen Patientinnen unmittelbar nach Gewinnung der Plazenta entfernt und IL-1, IL-8, MMP-8, sowie MMP-9 im Gewebehomogenat bestimmt. Statistische Unterschiede von $p < 0,05$ wurden als signifikant betrachtet. *Ergebnisse:* Es finden sich keine Unterschiede zwischen den einzelnen Gruppen in Bezug auf IL-1-Konzentrationen in den Eihäuten. Unabhängig vom Wehenstatus und der Cervixreife finden sich signifikant höhere IL-8-Spiegel (bis zu 70fach) in den Eihäuten mit Blasensprung. Die höchsten IL-8-Spiegel wurden erwartungsgemäss bei Patientiennen mit Blasensprung und AIS gefunden. Die Höhe des IL-8-Spiegels korreliert hochsignifikant mit den in den Eihäuten gefundenen MMP-8- und MMP-9-Spiegeln ($r = 0,9286$). *Fazit:* Aufgrund der vorliegenden Ergebnisse liegt der Schluss nahe, dass IL-8 und die daraus resultierende konsekutive Freisetzung leukozytärer MMPs (MMP-8 und MMP-9) am physiologischen Prozess des Blasensprungs beteiligt sind.

23

Molekularbiologischer Schnelltest zur pränatalen Diagnose von numerischen Chromosomenanomalien: Blindstudie an 247 Chorionzottenproben

B. Pertl[1], S. Kopp[1], M. Haeusler[1], R. Winter[1], P.M. Kroisel[2], L. Tului[3], B. Brambati[3]

[1] Geb.-gyn. Universitätsklinik Graz; [2] Inst. f. Med. Biologie und Humangenetik, KFU Graz, Österreich; [3] First Clinic of Obstetrics and Gyneocology, University of Milan, Italy

Einführung: Eine neue molekularbiologische Technik wurde von uns entwickelt, die die pränatale Diagnose von Trisomien 21, 18 und 13 innerhalb von 24 bis 48 Stunden ermöglicht. Ziel unserer Studie war es, Sensitivität, Spezifität und Vorhersagewert dieser Methode anhand einer Blindstudie an 247 fetalen Proben zu evaluieren. *Methode:* 247 Chorionzottenproben wurden ohne Kenntnis des zytogenetischen Ergebnisses untersucht. Dabei kamen insgesamt 13 Chromosomen-spezifische Marker (Chr. 21, 18, 13 und X) zur Anwendung, die nach Amplifikation mit fluoreszenzmarkierten Primern (quantitative Fluoreszenz-PCR) auf einem Sequenzer analysiert wurden. Alle Ergebnisse wurden mit den zytogenetischen Resultaten verglichen. *Ergebnisse:* 222/247 Proben wurden korrekt als normal analysiert, in 20/21 Fällen wurde in Übereinstimmung mit dem zytogenetischen Befund eine Trisomie 21, 18 oder 13 diagnostiziert. Ein falsch negatives Ergebnis war mit grösster Wahrscheinlichkeit auf eine Probenverwechslung zurückzuführen. Die zytogenetische Analyse zeigte in 4/247 Proben ein Mosaik oder eine Translokation; davon wurde ein Trisomie 21-Mosaik mittels QF-PCR entdeckt. (Sensitivität 95,2%, Spezifität 100%, positiver Vorhersagewert 100% für Trisomien 21, 18 und 13). *Schlussfolgerung:* Unsere Ergebnisse zeigen, dass die quantitative Fluoreszenz-PCR als Schnelltest zur Diagnosestellung der wichtigsten Chromosomenstörungen in Ergänzung zur zytogenetischen Methode eingesetzt werden kann. Die klinische Anwendung dieser Methode könnte die emotionale Belastung der zukünftigen Eltern vermindern und, bei auffälligem Ultraschallbefund, als Entscheidungshilfe für ein weiteres geburtshilfliches Vorgehen dienen.

24

Diagnostik der letalen fetalen Lungenhypoplasie mittels 3D-Ultraschall-Volumenmessung

U. Pöhls, T. Müller, M. Rehn, S. Blissing, P. Kristen, J. Dietl

Frauenklinik und Poliklinik der Universität Würzburg, Josef-Schneider-Strasse 4, 97080 Würzburg, Deutschland

Einführung und Fragestellung: Die pränatale Diagnose der letalen Lungenhypoplasie ist ein nachwievor ungelöstes Problem. Verschiedene Ansätze v.a. in der Ultraschall-Diagnostik wurden vorgestellt. Doch weder konventionelle Messungen der Lungentextur oder des fetalen Thorax (Lungenlängsmasse, Thoraxumfang, Thoraxfläche auf 4-Kammerblickebene, Thoraxfläche minus Herzfläche, Quotient aus Thorax- und Abdomenumfang, usw.) noch funktionelle Ultraschalluntersuchungen (nasaler und trachealer Dopplerfluss, Vena-pulmonalis-Doppler) konnten bisher mit ausreichender Sicherheit eine letale fetale Lungenhypoplasie vorhersehen. Als neuen, zusätzlichen Parameter untersuchen wir das fetale Lungenvolumen bezüglich seiner diagnostischen Wertigkeit. *Methode:* In einem ersten Schritt wurden mittels 3D-Ultraschall Thorax-Scans von 113 Einlings-Feten zwischen 11 und 41 SSW ohne Zeichen fetaler Fehlbildungen oder Oligo-/Ahydramnie durchgeführt. Das Lungenvolumen wurde durch eine halbautomatische Konturmessung bestimmt. Eine Normwerttabelle wurde generiert. Im folgenden wurde eine Testgruppe von vorläufig 8 Feten mit potentiellem Risiko einer Lungenhypoplasie (prolongierter vorzeitiger Blasensprung vor 34 SSW (n = 5), beidseitige Nierenagenesie (n = 2), schwerer Hydrops fetalis (n = 1)) mit einer Kontrollgruppe unauffälliger Feten (n = 54) verglichen. *Vorläufige Ergebnisse:* 6 von 8 Feten der Testgruppe zeigten ein Gesamtlungenvolumen unter der 5%-Perzentile. Alle 6 Feten verstarben mit der klinischen Diagnose Lungenhypoplasie. Bei 2 von 8 Feten konnte ein normales Lungenvolumen nachgewiesen werden. Bei diesen Feten wurde ein unauffälliges Outcome beobachtet. 53 von 54 Feten der Kontrollgruppe zeigten Lungenvolumina oberhalb der 5%-Perzentile. Bei 1 von 54 Feten wurde ein vermindertes Lungenvolumen gemessen. Alle Feten der Kontrollgruppe hatten ein unauffälliges Outcome. Die Sensitivität der Methode beträgt 100% bei einer Spezifität von 86% und einem positiv prädiktiven Wert von 44,2% und negativ prädiktiven Wert von 100%. *Schlussfolgerung:* Die fetale Lungenvolumenmessung mittels 3D-Ultraschall ist ein guter diagnostischer Parameter bezüglich einer letalen Lungenhypoplasie. Grössere Fallzahlen sind nötig, um die diagnostische Wertigkeit zu erhärten. Zur weiteren Verbesserung der Diagnostik erscheint eine Verknüpfung der Volumenmessung mit o.a. funktionellen Tests (Dopplersonographie) a priori sinnvoll und muss in weiteren Studien evaluiert werden.

25

Fetale Lungenreife: Stellenwert der Diagnostik in Abhängigkeit vom Gestationsalter

V. Ragosch, S. Hundertmark, H. Weitzel
Universitätsfrauenklinik, Klinikum Benjamin Franklin, FU Berlin, 12200 Berlin, Deutschland

Einführung: Das Atemnotsyndrom (RDS) ist bei unreifen Frühgeborenen von grosser Bedeutung für die perinatale Morbidität und Mortalität und tritt in der Gruppe unterhalb von 28 SSW in ca. 80% auf. Neben der Induktion mit Glukokortikoiden stellt die Lungenreifediagnostik, gerade in den angloamerikanischen Ländern, einen wesentlichen Eckpfeiler der Prävention eines RDS dar. Ziel der Arbeit war es zu untersuchen welchen Einfluss das Gestationsalter auf die Aussagekraft der Methoden hat und in welchen Gestationsalterabschnitten eine Bestimmung der fetalen Lungenreife sinnvoll ist. *Material und Methoden:* An einem Kollektiv von 128 Fruchtwasserproben (24.–37. SSW, 20-RDS-Fälle) wurden drei Methoden der Lungenreifediagnostik (L/S Ratio, TDx-FLM®, lamellar bodies) durchgeführt. Die Vorhersagewahrscheinlichkeiten bezogen auf das Auftreten eines RDS wurden zunächst am Gesamtkollektiv und anschliessend in zwei Gestationsalterabschnitten (24.–29. SSW und 30.–35. SSW) berechnet. Zusätzlich wurden für alle Kollektive ROC-Kurven berechnet und Vorhersagewahrscheinlichkeiten für unterschiedliche Lungenreifegrenzwerte bestimmt. *Ergebnisse:* Am Gesamtkollektiv waren die, mit der internationalen Literatur übereinstimmenden, sehr guten Werte für Sensitivität und negative Korrektheit bei schlechter Spezifität und positiver Korrektheit nachweisbar. Im Gegensatz dazu ergab die gestationsalterabhängige Analyse unterhalb von 30 SSW – als in dem Kollektiv, in dem ein RDS hauptsächlich auftritt –, dass keine Methode in der Lage war, ein RDS sicher vorherzusagen. Nur zwischen der 30. und 35. SSW kann eine zusätzliche Information gewonnen werden, wobei die Schnelltestmethoden (TDx-FLM und lamellar bodies) hier besser als die L/S Ratio abschnitten. *Schlussfolgerung:* Entgegen den aktuellen Empfehlungen der ACOG ist nach den vorliegenden Daten unterhalb von 30 SSW eine Lungenreifebestimmung nicht sinnvoll. Zwischen der 30. und 35. SSW kann zwar eine geburtshilflich relevante Information gewonnen werden. Eine Analyse sollt aber nur dann durchgeführt werden, wenn Fruchtwasser ohne einen invasiven Eingriff (z.B. beim VBS) gewonnen werden kann. Die ROC-Kurven zeigen jedoch eindrücklich, dass in unterschiedlichen Gestationsalterabschnitten dann auch angepasste Lungenreifegrenzwerte für die einzelnen Methoden zu fordern sind.

26

TNF-α und IL-6 mRNA sind im Chorioamnion lokalisiert und mit Infektionen assoziiert

T. Roos
Universitäts-Frauenklinik, Josef-Schneider-Str. 4, 97080 Würzburg, Deutschland

Hintergrund: Fruchtwasser (FW) Spiegel von Tumor-Nekrose-Faktor-alpha (TNF-α) und Interleukin-6 (IL-6) sind konsistent erhöht bei Frauen mit FW-Infektion. *Fragestellung:* Zur in vivo Identifizierung des Syntheseortes von TNF-α und IL-6 wurden radioaktiv markierte (^{35}S) messenger RNA (mRNA) Sonden hergestellt und in der in situ Hybridisierung eingesetzt. *Studienaufbau:* Fruchtwasser, Chorioamnion (CA) und Dezidua (D) wurden asserviert und Kulturen angelegt von Frauen, die durch Sectio caesarea am Termin entbunden wurden. FW-Konzentrationen von TNF-α und IL-6 wurden bestimmt. Die Gewebe wurden nach in situ Hybridisierung im Dunkelfeldmikroskop auf TNF-α und IL-6 mRNA untersucht und ≥2 mRNA positive Zellen/5 Gesichtsfelder als «Positiv» bewertet. *Resultat:* 33 Frauen wurden in die Studie einbezogen, von denen 18 einen Blasensprung und Wehentätigkeit über >6 Stunden hatten (8 hatten Fieber >38 °C). 15 Frauen hatten keinen Blasensprung, Wehen oder Fieber.

Positive mRNA	FW-Kultur		p	CA/D Kultur		p
	positiv (n = 14)	negativ (n = 19)		positiv (n = 11)	negativ (n = 22)	
Amnion TNF mRNA+	7	7	0,7	9	5	0,002
IL-6mRNA+	9	4	0,03	8	5	0,009
Chorion TNF mRNA+	11	16	0,9	10	17	0,6
IL-6 mRNA+	10	3	0,004	8	5	0,009

Es bestand eine starke Korrelation zwischen positiven FW- und CA/D-Kulturen und IL-6 mRNA-positiven Zellen in Amnion und Chorion. Die Präsenz von TNF-α oder IL-6 mRNA in der Dezidua korrelierte nicht mit einer positiven FW oder CA/D-Kultur. Erhöhte Besiedelungszahlen des Amnion mit normalen Makrophagen waren assoziiert mit einer positiven FW Kultur. Die Präsenz in Amnion und Chorion von ≥ 2 Zellen/5 Felder, die IL-6 mRNA-positiv waren, korrelierte mit hohen TNF-α und IL-6 FW-Spiegeln. *Schlussfolgerung:* Infektionen von Fruchtwasser, Chorioamnion und/oder Dezidua induzieren die Produktion inflammatorischer Zytokine im Chorioamnion. Die Resultate indizieren die infektionsassoziierte Synthese dieser Zytokine im Amnion und Chorion, aber nicht in der mütterlichen Dezidua.

27

Herzfrequenzänderungen bei Barorezeptor-Entlastung in der Karotissinusregion des chronisch instrumentierten Schaffeten

C. Rybakowski, H.J. Schröder, K. Eisermann, M. Tchirikov, S. Ostermann

Abteilung für experimentelle Gynäkologie, Universitäts-Frauenklinik Hamburg, Deutschland

Fragestellung: Bei fetalen Schafen spielen die Aortenbogen-Druckrezeptoren nur eine geringe Rolle (Bartelds, B, et al, Pediatr Res 34, 51, 1993). Es wurde der Einfluss von Druck-Entlastung des Karotissinus auf die fetale Herzfrequenz in zwei Bereichen der Reiz-Antwort-Kurve des Barorezeptoren-Reflexes untersucht. *Methodik:* 21 Schaffeten (121.–132. Trächtigkeitstag) wurden mit aufblasbaren Okkludern um die Aa. carotis beiderseits, EKG-Elektroden, Druckmesskathetern (Aorta descendens, A. lingualis) und einem venösen Infusionskatheter instrumentiert. Es wurden der arterieller Mitteldruck (AMD), der Karotissinusdruck (KSD) und die fetale Herzfrequenz (FHF) bei beidseitiger Karotisokklusion (BCO) mit und ohne Phenylephrin- (8,5–20 µg/min/kg) oder Methoxamin- (60–200 µg/min/kg) Infusion gemessen. *Ergebnisse:* BCO erhöhte den AMD von 46 ± 7 auf 53 ± 8 mm Hg. Der KSD fiel von 44 ± 7 auf 17 ± 7 mm Hg ab, die FHF sank von 186 ± 34 auf 159 ± 29 Schläge/min (bpm). Unter Phenylephrin- bzw. Methothoxamin-Infusion stieg der AMD im Mittel von 44 ± 6 auf 61 ± 9 mm Hg an, wobei die FHF auf 132 ± 31 bpm abfiel. BCO unter Infusion erhöhte den AMD weiter auf 70 ± 11 mm Hg, und der KSD fiel auf 31 ± 13 mm Hg ab. Die durchschnittliche FHF blieb jedoch unverändert bei 136 ± 28 bpm trotz der Senkung des KSD unter Kontrollwerte. *Schlussfolgerungen:* Diese Befunde können mit einer mechanischen Laständerung der Barorezeptoren nicht erklärt werden: 1. Der FHF-Abfall unter alleiniger BCO unterstützt die Hypothese, dass die Wirkung der gleichzeitig erregten Chemorezeptoren (verringerte Durchblutung des Glomus caroticum) den Einfluss der Druckrezeptoren übertrifft (Wood, CE, Am J Physiol, 268, R343, 1995). 2. Die Senkung der FHF unter alpha-Mimetika mit arteriellem Druckanstieg muss auf einer Wirkung beruhen, die von der mechanischen Belastung der Druckrezeptoren unabhängig ist.

28

Die fetale Magnetoencephalographie – eine noninvasive Methode zur Erfassung der fetalen neuronalen Reifung

E. Schleussner, H. Nowak, D. Olbertz, U. Schneider, H.-J. Seewald

Klinik für Frauenheilkunde und Geburtshilfe, Abt. Geburtshilfe, Klinikum der Friedrich-Schiller-Universität Jena, Bachstr. 18, 07740 Jena, Deutschland

Eine frühzeitige Erkennung pränataler neurologischer Funktionsstörungen ist von besonderer klinischer Bedeutung. Die erstmals 1984 von Blum beschriebene fetale Magnetoencephalographie (fMEG) ist die einzige noninvasive Methode, mit der die funktionellen Reifungsprozesse und deren Störungen erfasst werden können [1]. Aufgrund der sehr schwachen biomagnetischen Felder bestehen jedoch noch immer grosse methodische Probleme in der reproduzierbaren Signaldetektion. Mittels eines 31-Kanal-SQUID-Biomagnetometers (Philips) in einer magnetisch abgeschirmten Kammer wurden akustisch evozierte Felder (AEF) bei Feten im III. Trimenon während der fetalen 1F-Phase nach Nijhuis bzw. bei Frühgeborenen gleichen Konzeptionsalters (KA) in neonatalen Schlafphasen registriert. Das akustische Signal (500/1000 Hz, 100/70 dB, Dauer 50 ms, ISI 1000 ms) wurde direkt auf die mütterliche Bauchdecke über dem vorher lokalisierten fetalen Kopf appliziert. Die Signalanalyse in den aufgezeichneten 800 ms nach jedem Stimulus erfolgte auf einem SUN-Rechner mittels CURRY-Software. Bei Neonaten liessen sich ab einem KA von 34 Wochen stabil kortikale AEF nachweisen. Mit zunehmendem KA verkürzt sich die Latenzzeit von ca. 210 ms bis auf 130 ms und reift die Komplexität des AEF-Musters. Während vor der 36. Woche nur eine langgestreckte Deflektion auftritt, lassen sich danach zunehmend die auch bei älteren Kindern registrierbaren differenzierten Antwortmuster nachweisen. Die früheste Registrierung eines fetalen AEF gelang in der 34. SSW. Die Latenzzeiten entsprechen denen gleichaltriger Frühgeborener, die Detektionsrate liegt jedoch noch deutlich niedriger. Das fMEG erlaubt somit die pränatale Erfassung neuronaler Funktionen, wenn auch durch eine Verbesserung des Signal-Rausch-Verhältnisses die Reproduzierbarkeit der Signaldetektion weiter verbessert werden muss.

Literatur

1 Blum T, Saling E, Bauer R: (1984) Fetale Magnetoencephalographie: Erstmalige pränatale Registrierung eines auditorisch evozierten neuromagnetischen Feldes. Z. EEG-EMG 15: 34–37.

29

Thrombopoietin (TPO) bei Präeklampsie

H. Schröcksnadel, M. Mörtl, M. Jänsch, M. Widschwendter, A. Bergant, W. Schobersberger, W. Jelkmann

Univ.-Klinik für Frauenheilkunde und Univ.-Klinik für Anaesthesie und Intensivmedizin, Anichstrasse 35, A–6020 Innsbruck, Österreich

Einführung und Fragestellung: Die Regulation des zirkulierenden Plättchenspiegels erfolgt durch das Zytokin Thrombopoietin (TPO). Bei Frauen mit unauffälliger Schwangerschaft wurden gegenüber nicht schwangeren Kontrollpersonen ca. um das Doppelte erhöhte TPO-Spiegel festgestellt. Ziel unserer Untersuchung war es, TPO-Spiegel von gesunden Schwangeren und solchen mit verschiedenen Formen von Präeklampsie zu vergleichen und mit etablierten geburtshilflichen Parametern zu korrelieren. *Material und Methodik:* Plasma von 20 Patientinnen mit Präeklampsie (med. Gestationsalter 30 Wochen) wurde mit dem von 20 gesunden Frauen entsprechenden Gestationsalters verglichen. Die Bestimmung von TPO erfolgte mittels Elisa. *Ergebnisse:* Gesunde Schwangere zeigten gegenüber präeklamptischen Frauen deutlich niedrigere TPO-Spiegel (med. 57 pg/ml [Bereich 13–136] vs. med.139 pg/ml [38–575]) und unterschieden sich statistisch hochsignifikant ($p = 0{,}0003$). 3 Patientinnen mit milder (med. 52 pg/ml [46–73]), 8 mit schwerer Präeklampsie (med. 139 pg/ml [38–506]) und 9 mit Hellp-Syndrom (med. 165 pg/ml [53–575]) zeigten entsprechend dem Schweregrad der Erkrankung ansteigende TPO-Spiegel. Bei präeklamptischen Frauen bestanden signifikante positive Korrelationen zwischen TPO und LDH ($r_s = 0{,}69$; $p = 0{,}001$), Harnsäure ($r_s = 0{,}46$; $p = 0{,}005$), Bilirubin ($r_s = 0{,}6$; $p = 0{,}006$), GOT ($r_s = 0{,}52$; $p = 0{,}024$), dem TNF-Rezeptor ($r_s = 0{,}56$; $p < 0{,}001$), dem maximalen systol. ($r_s = 0{,}43$; $p = 0{,}007$) und diastol. Blutdruck ($r_s = 0{,}33$; $p = 0{,}04$) sowie signifikante negative Korrelationen zu den Thrombozyten ($r_s = -0{,}51$; $p = 0{,}001$) und zum Geburtsgewicht ($r_s = -0{,}5$; $p = 0{,}001$). *Schlussfolgerung:* Das Thrombopoietinsystem ist am Pathomechanismus der Präeklampsie beteiligt. Diese Veränderungen scheinen aufgrund signifikanter Korrelationen zu etablierten geburtshilflichen Parametern klinisch relevant.

30

Plazentare Expression des Low-Density Lipoprotein-Rezeptors bei intrauteriner Wachstumsretardierung

H. Stepan, T. Walther, R. Faber
Universitätsfrauenklinik Leipzig, Deutschland

Fragestellung: Der plazentare low-density lipoprotein (LDL)-Rezeptor hat eine wichtige Funktion bei der Aufnahme von Lipoproteinen aus dem Plasma als Voraussetzung für die Steroidsynthese in der Plazenta. Ziel der Untersuchung war es, die Expression des LDL-Rezeptors in Plazenten von normalen Schwangerschaften und solchen mit intrauteriner Wachstumsretardierung zu vergleichen. *Material und Methoden:* Aus jeweils 10 Plazenten von normalen Schwangerschaften am Termin und Schwangerschaften mit intrauteriner Wachstumsretardierung wurde die Gesamt-messenger RNA isoliert. Die LDL-Rezeptor-Expression wurde mittels RNase-protection assay unter Verwendung einer spezifischen für den humanen LDL-Rezeptor kodierenden Sonde untersucht. *Ergebnisse:* In allen 20 untersuchten Plazenten konnte der LDL-Rezeptor auf mRNA-Ebene nachgewiesen werden. Die Expressionslevel in den Plazenten von Schwangerschaften mit intrauteriner Wachstumsretardierung sind signifikant um 25% höher als in den Normalfällen ($p < 0,05$). *Schlussfolgerung:* Die Ergebnisse demonstrieren die Expression des LDL-Rezeptors in der humanen Plazenta. Ausgehend von der primären Funktion des LDL-Rezeptors, der Aufnahme von Plasma-LDL für die Synthese von Steroidhormonen, kann die Hochregulation bei intrauteriner Wachstumsretardierung als Kompensationsmechanismus eines gestörten Lipidstoffwechsels interpretiert werden.

31

Einfluss der subpartalen Oxygenierung des menschlichen Feten auf sein cerebrales Blutflussmuster

M. Sütterlin, B. Seelbach-Göbel, J. Dietl
Universitäts-Frauenklinik, Josef-Schneider-Str. 4, 97080 Würzburg, Deutschland

Fragestellung: Hat die arterielle Sauerstoffsättigung des Feten sub partu einen akuten Einfluss auf seine cerebrale Perfusion bzw. seine Kreislaufverteilung? *Material und Methode:* Nach einer unauffälligen Dopplersonographie zu Geburtsbeginn wurde bei 12 Feten in der 38.–40. SSW mit suspektem Kardiotokogramm und einer pulsoxymetrischen Sauerstoffsättigung (SpO_2; Nellcor N-400) unter 30% sowie bei 14 entsprechenden Feten mit unauffälliger SpO_2 eine erneute intrapartale Dopplersonographie (Acuson 128XP) der Arteria cerebri media sowie der Arteria umbilicalis durchgeführt. *Ergebnisse:* Bei einer Reduktion der SpO_2 unter 30% wiesen die entsprechenden Feten eine signifikant ($p < 0,001$, Students t-Test) höhere Flussgeschwindigkeit ($v_{mittl} = 0,43 \pm 0,17$; PI = 0,849 ± 0,138; RI = 0,552 ± 0,060) in der A. cerebri media im Vergleich zu den Kindern mit unauffälliger SpO_2 ($v_{mittl} = 0,248 \pm 0,104$; PI = 1,241 ± 0,187; RI = 0,687 ± 0,056) auf. Die Abnahme der Flussgeschwindigkeit in der A. umbilicalis in der Studiengruppe ($v_{mittl} = 0,303 \pm 0,085$; PI = 1,010 ± 0,086; RI = 0,614 ± 0,047) im Vergleich zum Kontrollkollektiv ($v_{mittl} = 0,344 \pm 0,074$; PI = 0,949 ± 0,11; RI = 0,591 ± 0,055) war nicht signifikant. *Schlussfolgerung:* Das cerebrale Blutflussmuster des menschlichen Feten wird durch seine arterielle Sauerstoffsättigung sub partu akut beeinflusst. Durch die simultane Anwendung der fetalen Pulsoxymetrie und der Dopplersonographie konnte erstmals die Umverteilung des fetalen Kreislaufs im Sinne einer Sauerstoff-Sparschaltung bei pulsoxymetrischer Hypoxämie sub partu nachgewiesen werden.

32

Charakterisierung hämatopoietischer Stammzellen im Nabelschnurblut in verschiedenen Schwangerschaftsphasen als Vorbereitung zur intrauterinen Gentherapie

D. Surbek, C. Steinmann, S. Hahn, A. Wyrsch[1], A. Wodnar-Filipowicz[1], W. Holzgreve
Universitäts-Frauenklinik und [1]Labor für Experimentelle Hämatologie, Departement Forschung, Universität Basel, Schweiz

Einführung: Die intrauterine allogene Stammzelltransplantation zur Therapie genetischer Krankheiten zeigt bisher nur bei schwerer fetaler Immundefizienz Erfolge; die in-vivo Gentherapie mittels direktem intrauterinem Transfer des Vektor-Gen-Konstruktes scheint auch bei Hämoglobinopathien und Speicherkrankheiten effektiv. Bisher ist nicht bekannt, welches die Charakteristika von Nabelschnurblut-Stammzellen aus bestimmten Schwangerschaftsphasen sind im Hinblick auf ihr Potential für eine ex-vivo Gentherapie mittels autologer Stammzellen. *Material und Methode:* NSB in verschiedenem Gestationsalter wurde nach Geburt respektive nach fetaler Ausstossung durch Nabelvenenpunktion in heparinisierte Gefässe entnommen. Nach Bestimmung der mononukleären Zellen (Cell Counter, Coulter Electronics) wurde eine Immunophänotypisierung mit Stammzellmarkern (CD34, CD38) und Zelladhäsionsmolekülen (L-Selectin, LFA-1) durchgeführt (FACScan, Becton-Dikkinson). Zur Charakterisierung der Proliferations- und Expansionskapazität wurden Kurzzeitkulturen (CFU's), Stammzellkulturen (LTC-IC) und Flüssigkulturen (inkl. SCF, flt3-Ligand und TPO) angelegt. Zudem wurde die Möglichkeit der Kryopräservation und Stammzellanreicheruing (MiniMACS, Miltenyi) geprüft. *Ergebnisse:* Es wurden insgesamt 61 Nabelschnurblut-samples zwischen 16 und 41 SSW untersucht. Die Anzahl CD34+ resp. CD34+CD38– Zellen nahm im Verlaufe der Schwangerschaft ab ($p = 0,0067$ resp. $p = 0,0132$). Die Anzahl CFU's war mit verschiedenen Wachstumsfaktorkombinationen höher im 2./3. Trimester verglichen mit Termingeburten, ebenso die Anzahl LTC-IC (2.1fach resp. 2.5fach). Die ex-vivo Expansion der Stammzellen in Flüssigkulturen erreichte mit flt3-Ligand und TPO ein Maximum von 1000fach nach 10 Wochen, wobei sich kein Unterschied zwischen 2./3. Trimester und Termin fand. Die Expression von L-Selectin resp. LFA-1 auf Vorläufer-/Stammzellen war positiv korreliert mit dem Gestationsalter ($r^2 = 0.86$ resp. $r^2 = 0.79$). Viabilität und Wiedergewinnung von mononucleären Zellen nach Kryopräservation und Stammzellanreicherung war gleichgut bei Nabelschnurblut im 2./3.Trimester im Vergleich zu Termingeburten. *Schlussfolgerungen:* Wir konnten klar die spezifischen Vorzüge der Stammzellgewinnung aus Nabelschnurblut bereits in frühen Schwangerschaftsstadien zeigen, welches angereichert ist mit frühen hämatopoietischen Vorläufer- und Stammzellen. Sie zeichnen sich durch ein grosses Proliferations- und Expansionspotential aus und sind kryopräservierbar sowie anreicherbar. Diese Eigenschaften sprechen für die Verwendbarkeit von Nabelschnurblut auch für autologe intrauterine Gentherapie, wofür die Vorbereitungen bei uns jetzt erfolgen.

33

Quantitative dopplersonographische Bestimmung der Durchblutungsrate der Plazenta bei gefährdeten Feten.

M. Tchirikov[1]*, B. Hüneke*[2]*, C. Rybakowski*[2]*, S. Djahansouzi*[2]*, H.J. Schröder*[1]

[1]Abteilung für experimentelle Gynäkologie, [2]Kernklinik der Universitäts-Frauenklinik Hamburg-Eppendorf, Deutschland

Fragestellung: In der Human-Schwangerschaft kann die fetale Plazentadurchblutung (oder Nabelschnurvenendurchblutung) dopplersonographisch gemessen werden. Da diese den plazentaren Stoffaustausch unmittelbar beeinflusst, haben wir bei Kontrollfeten, und bei Feten mit eingeschränktem Wachstum (SGA), die Plazentadurchblutung (ml/min) und weitere acht Dopplerparameter bestimmt. *Methodik:* 114 Patientinnen bildeten die Kontrollgruppe und 23 Schwangere wurden der SGA-Risiko-Gruppe zugeordnet (sonographisch bestimmtes Körpergewicht (KG) nach Hadlock <10. Percentile). Die Plazentadurchblutung wurde in linker Seitenlage in der intraabdominalen Nabelschnurvene gemessen, wobei die Standardabweichung bei mehrfach aufeinanderfolgenden Messungen unter 10% des Mittelwertes lag. In unmittelbarem zeitlichem Zusammenhang wurden weiterhin bestimmt: PI und Vmean der Aorta, PI der A. carotis communis, der A. cerebri media, des Ductus venosus und der Nabelschnurarterie sowie der RI beider Aa. uterinae. Es wurden Sensitivität (SN) und Spezifität (SP) für das Risiko «SGA» berechnet, und es wurde ein «Gefährdungsscore» als Summe aus den Doppler-parametern (je 1 Punkt) gebildet, wenn ihr jeweiliger Wert aus dem Normbereich herausfiel. *Ergebnisse:* Mit einer SN von 78.3%, SP von 91.2% und gleichzeitig hohen positiven (64.3%) und negativen (95.4%) Vorhersagewerten übertraf die normalisierte Plazentadurchblutung (ml/min/kg KG) die anderen Parameter. Sie nahm in beiden Gruppen mit zunehmendem Schwangerschaftsalter ab, wobei in der SGA-Gruppe die Durchblutungswerte kleiner waren als in der Kontrollgruppe. Die niedrigen Werte der SGA-Gruppe waren häufig mit hohen Gefährdungsscores verknüpft. *Schlussfolgerungen:* Die dopplersonographische Bestimmung der Plazentadurchblutung stellt eine sinnvolle Ergänzung zur Erkennung gefährdeter Feten dar.

34

Einfluss des Preloading bei Spinalanästhesie auf den fetomaternalen Kreislauf und das neonatale Outcome bei primärer Sectio caesarea

S. Tercanli, M. Schneider, M. Siebert, W. Holzgreve

Universitäts-Frauenklinik Basel, Schweiz

Einführung: Die Spinalanästhesie stellt bei elektiver Sectio caesarea ebenso wie bei der Notfallsectio eine schnelle und effektive Analgesiemethode dar. Risiken sind maternale Hypotension (Inzidenz 50–80%), Reduktion der uterinen Perfusion mit Abfall des Blutvolumens im intervillösen Raum und intrauterine Asphyxie. Präventive Massnahmen umfassen Linksseitenlagerung der Schwangeren, prophylaktische i.v. Volumenzufuhr (sog. Preloading) und Sympathomimetikagabe (Ephedrin). Der Nutzen des Preloading wird kontrovers diskutiert. *Fragestellung:* Einfluss der Volumengabe auf die Prävalenz einer durch Spinalanästhesie induzierten maternalen Hypotension, auf Veränderungen im uteroplacentaren Kreislauf und auf das fetale Outcome. *Material und Methoden:* Prospektiv randomisierte Studie bei Patientinnen mit Indikation zur primären Sectio caesarea unter SA. Gruppe A bzw. B: je 20 Patientinnen mit Volumenvorgabe von 12,5 ml/kg (high dose Preloading), bzw. 2,5 ml/kg (low dose Preloading) Ringerlactat. Intermittierende Kreislaufüberwachung, Ephedrin bei Blutdruckabfall >20% bzw. <100 mm Hg, Kalkulation des Ephedrin- und i.v. Volumenbedarfs. Gepulste Dopplersonographie im uterofetalen Kreislauf vor (Messung 1) und nach Preloading (Messung 2) sowie nach Spinalanästhesie (Messung 3). Postnatale Bestimmung des arteriellen Nabelschnur-pH, der APGAR- und NACS-Scores (neurological and adaptive capacity score. *Ergebnisse:* Ein Blutdruckabfall >20% wurde bei 57% bei der Gruppe A und 27% der Gruppe B festgestellt. Der mittlere Ephedrinverbrauch war in beiden Gruppen vergleichbar (Gruppe A 35,7 ± 12,9 mg, Gruppe B 37,5 ± 15,3 mg). Die Mittelwerte des arteriellen pH waren 7,26 ± 0,06 (Gruppe A) und 7,25 ± 0,06 (Gruppe B), der APGAR bei 9,3/10/10 in Gruppe A vs. 8,9/9,8/10 in Gruppe B. Im NACS-Score wies Gruppe A einen Mittelwert von 30,8 ± 4,4 und Gruppe B von 28,8 ± 6,1 auf. Der Mittelwert des Pulsatilitätsindex (PI) in den Aa. uterinae betrug bei Messung 1: 0,73 ± 0,18, bei Messung 2: 0,76 ± 0,23 und bei Messung 3: 0,91 ± 0,25 in der Gruppe A. Die PI-Werte der Gruppe B betrugen bei Messung 1: 0,82 ± 0,45, bei Messung 2: 1,01 ± 0,34 und bei Messung 3: 0,90 ± 0,43. Ein pathologischer Dopplerbefund zeigte sich nur in einem Fall mit hochdosierter Volumengabe. Alle PI-Mittelwerte der A. umbilicais waren im Normbereich. *Schlussfolgerungen:* Die bisher in unserem Kollektiv vorliegenden Ergebnisse zeigen im Hinblick auf die Inzidenz einer maternalen Hypotension im Rahmen einer Spinalanästhesie keinen eindeutigen Unterschied. Die tendenziell höhere Inzidenz eines Blutdruckabfalls in der Gruppe mit hohem Preload wird am ehesten durch die geringe Fallzahl erklärt. Weder im utero-plazentaren Kreislauf noch bei den neonatalen Parametern liess sich ein Unterschied nachweisen. Diese Ergebnisse relativieren die Notwendigkeit des routinemässigen Preloading.

35

MRT-Anatomie, Normvarianten und Pathomorphologie des Kontinenz-Kontrollsystems der Frau

R. Tunn[1]*, J.O.L. DeLancey*[3]*, L. Quint*[4]*, St. Paris*[2]*, B. Hamm*[2]*, W. Fischer*[1]

[1]Frauenklinik und [2]Institut für Radiologie, Charité, Campus Mitte, HUB, Berlin, Deutschland; Depts. of [3]Gynecol. & Obstet. and [4]Radiology, University of Michigan, Ann Arbor, USA

Fragestellung: Funktionseinschränkungen von Urethra und Levatormuskulatur (LM) sind durch klinische und urodynamische Funktionsprüfungen objektivierbar, Defekte der endopelvinen Faszie (EF) konnten bisher nur klinisch vermutet werden. Die MRT hingegen lässt Aussagen zur Morphologie von LM, EF und Urethra zu. Geprüft wurde, ob bei Harninkontinenz (HI) typische MRT-Befunde definiert werden können. *Methode:* 107 Frauen (je 20 kontinente Nulliparae [24 ± 5,5 J.] und Parae [49 ± 12,5 J.], 67 Parae [46 ± 11,5 J.] mit HI) wurden standardisiert kernspintomographisch untersucht. *Ergebnisse:* Dicke und Volumen der LM variierten um das 2–3fache bei kontinenten Nulliparae und zeigten keine signifikanten Unterschiede zwischen kontinenten Parae und Parae mit HI. In 10% der Nulliparae inserierte die LM bds. nicht am Os pubis und der Hiatus urogenitalis war vergrössert ($p < 0{,}05$). Bei den kontinenten Parae und Parae mit HI war in jeweils 15% einseitig keine quergestreifte LM nachweisbar. Die Signalintensität der LM reflektiert ihre chemische Zusammensetzung und war bei allen Nulliparae typisch für quergestreifte Muskulatur. Bei den kontinenten Parae war sie in

5%, bei den Parae mit HI in 35% ($p < 0.05$) als Ausdruck vermehrter Fett- und Bindegewebseinlagerung erhöht. Bei allen Nulliparae zeigte sich eine symphysenwärts konkave Konfiguration der Vagina als Ausdruck der suffizienten muskulofaszialen Verbindung zwischen lateraler Vaginalwand und LM. In 5% der kontinenten Parae und in 37% der Parae mit HI ($p < 0,01$) zeigten sich laterale Fasziendefekte durch den Verlust der konkaven Scheidenkonfiguration. Bei den Nulliparae variierte die Urethraquerschnittsfläche um das 2,4fache und zeigte keine signifikanten Unterschiede zwischen kontinenten Parae und Parae mit HI. Korrelationen zum Urethraverschlussdruck waren in allen Vergleichsgruppen nicht nachweisbar. *Schlussfolgerungen:* Anatomische Normvarianten bei Nulliparae erschweren die Definition von Normwerten und lassen eine Prädisposition vermuten, postpartum HI auszubilden. Veränderungen der Scheidenkonfiguration und der Signalintensität der LM sind für HI typische, aber nur bei klinischer Symptomatik beweisende MRT-Befunde.

36

Nichtinvasive Frühdiagnostik von Gestosen – ein Studiendesign

Th. Volgmann, W. Straube, D. Grabow

Klinik für Frauenheilkunde und Geburtshilfe der Ernst-Moritz-Arndt-Universität Greifswald, Deutschland

Wesentliche Anteile der peripartalen und perinatalen Morbidität bzw. Mortalität sind auf Komplikationen der Gestosen zurückzuführen. Trotz umfassender Bemühungen ist es bisher nicht gelungen, screeningtaugliche Methoden mit hoher Sensitivität und Spezifität zur Früherkennung gestosegefährdeter Patientinnen zu entwickeln. Im Rahmen eines DFG-Projektes prüfen wir an 400 Schwangeren ein Spektrum von Methoden hinsichtlich ihrer Eignung und Praktikabilität zur Frühdiagnostik von Gestosen. Die Untersuchungen werden im Rahmen der sonographischen Fehlbildungsfeindiagnostik in der 20. SSW durchgeführt. Neben anamnestischen, klinischen und paraklinischen Befunden (ICAM-1, VCAM-1, AT-1-Rezeptor-AK) werden Doppler-Indices der Aa. uterinae berücksichtigt. Eigene Befunde und Angaben der Literatur deuten auf Veränderungen der kutanen Mikrozirkulation lange vor Manifestation der Gestose hin. Zur Beurteilung kutaner Mikrozirkulationsstörungen nutzen wir die Laser-Doppler-Technik. Diese erlaubt Aussagen zu Blutfluss, Gefässreaktivität und die quantitative Beurteilung der arteriolären Vasomotion. Neben der Einschätzung der genannten Methoden zur Früherkennung von Gestosen erwarten wir neue Erkenntnisse zu pathogenetischen Momenten vor Ausprägung der klinischen Manifestation.

37

Positive Assoziation eines Polymorphismus im endothelialen Stickoxid-Synthase-Gen (eNOS) mit dem Auftreten einer Präeklampsie bzw. eines HELLP-Syndroms

P.M. Wagner[1], W. Siffert[2], W. Heyl[1], S. Kuse, W. Rath[1]

[1] Frauenklinik für Gynäkologie und Geburtshilfe der RWTH Aachen, [2] Institut für Pharmakologie des Universitätsklinikums Essen, Deutschland

Einführung und Fragestellung: Die endotheliale Dysfunktion mit konsekutiver Organminderperfusion gilt als pathophysiologische Grundlage hämodynamischer Veränderungen bei hypertensiven Schwangerschaftserkrankungen. Dabei kommt dem NO als potentestem endogenen Vasodilatator eine entscheidende regulative Bedeutung zu. Untersuchungen an Patienten mit essentieller Hypertonie, Vasospasmen und Myokardinfarkt weisen darauf hin, dass eine Punktmutation (G298T) im Bereich des Exon 7 des eNOS-Gens eine Prädisposition für das Auftreten kardiovaskulärer Erkrankungen darstellt. Ziel der vorliegenden Studie war es, zu klären, ob dieser Polymorphismus ebenfalls in der Entwicklung hypertensiver Schwangerschaftserkrankungen von Bedeutung ist. *Material und Methode:* Aus EDTA-Vollblut (187 Patientinnen mit Präeklampsie bzw. HELLP-Syndrom; 158 Frauen mit unkomplizierter Schwangerschaft (SS); 251 gesunde Blutspenderinnen) wurde mittels eines kommerziell erhältlichen Kits (Quiagen®) DNA isoliert. Mit Hilfe der Polymerase-Ketten-Reaktion wurde ein 248 Basenpaare umfassendes Fragment, welches die Glu298Asp-Variante einschliesst, amplifiziert und anschliessend einer Restriktionsfragment-Längenanalyse unterzogen. Die geschnittenen DNA-Fragmente wurden abschliessend elektrophoretisch im Agarose-Gel separiert und mittels Ethidiumbromid-Färbung visualisiert. Die statistische Auswertung erfolgte unter zur Hilfenahme des Pearsonschen Chi-Quadrat-Testes. *Ergebnisse:* Die Allelfrequenz für das Auftreten der Mutation G298T ist bei den Patientinnen mit Präeklampsie bzw. HELLP-Syndrom (34.8%) gegenüber den Frauen mit unkomplizierter SS (27.2%) signifikant erhöht ($p = 0,0335$). Die gesunden Blutspenderinnen weisen eine Allelfrequenz von 29.3% auf. Der Vergleich zwischen den hypertensiven Schwangeren und den Frauen mit unkomplizierter SS ergab, dass das Risiko für das Auftreten einer Gestose bei Vorliegen einer homozygoten T-Mutation (TT) höher ist (Odds ratio 1,760; 95% Konfidenzintervall 0,8257–3,753) als beim Auftritt einer heterozygoten T-Mutation (TG) (Odds ratio 1,598; 1,019–2,506; $p = 0,046$). *Schlussfolgerungen:* Frauen, die eine Punktmutation im Bereich des eNOS-Gens (G298T) aufweisen, besitzten ein erhöhtes Risiko, an einer Präeklampsie bzw. einem HELLP-Syndrom zu erkranken. Dabei könnte der verminderten Vasodilatation und deren Folgen eine eingeschränkte oder gestörte Syntheseleistung der mutierten eNOS zugrunde liegen.

38

Termingeburt: Korrelationen zwischen Kollagenolyse-Parametern im unteren Uterinsegment und dem Grad der Muttermundseröffnung bzw. der Wehendauer

M. Winkler, A. Oberpichler, D.-C. Fischer, B. Kemp, H. Tschesche, W. Rath

Frauenklinik, RWTH Aachen, Deutschland

Einführung und Fragestellung: Die Muttermundseröffnung am Termin wird von einem enzymatischen Kollagenabbau innerhalb der extrazellulären Matrix des unteren Uterinsegments begleitet. Herkunftsort der Kollagenasen sind vor allem neutrophile Granulozyten, die das zervikale Stroma invadieren und dort degranulieren. Wir untersuchten erstmalig die Konzentrationen der Matrix-Metalloproteinasen (MMP)-8 und -9 sowie die Konzentration von tissue inhibitor of metalloproteinases (TIMP)-1 in Abhängigkeit vom Grad der Muttermundseröffnung und von der Dauer der Wehentätigkeit. *Material und Methode:* Bei 62 Patientinnen wurden während der Sectio caesarea am Termin (37+0 bis 41+6 Schwangerschaftswochen) Gewebeproben aus dem unteren Uterinsegment gewonnen. In diesen Gewebeproben wurden enzymimmunchemisch die Konzentrationen von MMP-8, MMP-9 und TIMP-1 bestimmt. Die Auswertung der Ergebnisse erfolgte in Abhängigkeit von der Muttermundseröffnung (<2 cm, 2 bis <4 cm, 4–6 cm, >6 cm) und von der Wehendauer (1–6 h, >6–12 h, >12–24 h, >24 h). *Ergebnisse:* Die Konzentrationen von MMP-8, MMP-9 und TIMP-1 nahmen mit progredienter Muttermundseröffnung zu. Die Werte, die bei mehr als 6 cm eröffnetem Muttermund gemessen wurden, lagen für die Konzentrationen von MMP-8 mit 114 ng/mg Gesamtprotein (GP), von MMP-9 mit 102 ng/mg GP und von TIMP-1 mit 1064 ng/mg GP signifikant über den bei unreifer Zervix (<2 cm) gemessenen Werten (32 ng/mg GP, 15 ng/mg GP und 53 ng/mg GP). Ein Zusammenhang mit der Wehendauer liess sich nur für die Konzentrationen von MMP-9 (signifikanter Anstieg bei >24 h) und TIMP-1 (Minimum bei >24 h) nachweisen. Die statistische Analyse (multiple lineare Regression) zeigte, dass die Muttermundsweite stärker durch die drei von uns untersuchten Parameter als durch die Wehendauer beeinflusst wird. *Schlussfolgerungen:* Unsere Ergebnisse unterstreichen die Bedeutung der Kollagenolyse für die Muttermundseröffnung am Termin und die besondere Bedeutung lokaler, von der Wehentätigkeit unabhängiger Veränderungen im unteren Uterinsegment.

39

Akupunktur in der Geburtsvorbereitung

H. Zeisler, K. Mayerhofer, M. Rabl, S. Feistauer, P. Husslein
Universitätsklinik für Frauenheilkunde Wien, Abteilung für Geburtshilfe und Gynäkologie, Währinger Gürtel 18–20, A–1090 Wien, Österreich

Einführung und Fragestellung: Die Akupunktur in der Geburtsvorbereitung erfreut sich immer grösserer Beliebtheit. Der Einfluss der Nadelakupunktur auf den Geburtsverlauf wurde evaluiert. *Material und Methodik:* Gruppe A: 57 Frauen mit Akupunktur; Gruppe B: 63 Frauen ohne Akupunktur. Einschlusskriterien für beide Gruppen: Erstgebärende, unauffälliger Schwangerschaftsverlauf, Spontangeburt am Termin aus Schädellage. Akupunkturdurchführung: 4 Sitzungen ab der 36 SSW, 15–20 Minuten/Sitzung, verwendete Punkte: LG 20, He 7, Pe 6. Evaluierte Parameter: Länge der Eröffnungsperiode (3 cm bis verstrichen) und Austreibungsperiode (verstrichen bis Geburt), vorzeitiger Blasensprung, Einsatz von Oxytocin, Analgetika und Epiduralanästhesie. *Ergebnisse:* Signifikant kürzere Eröffnunsperiode in der Gruppe A ($P < 0{,}0001$) bei gleicher Dauer der Austreibungsperiode. Signifikant geringerer Einsatz von Wehenmittel in der Gruppe A sowohl in der Eröffnungs- wie auch Austreibungsperiode ($P = 0{,}01$ bzw. $P = 0{,}03$). Signifikant häufigeres Auftreten eines vorzeitigen Blasensprunges in Gruppe A ($P = 0{,}015$). Kein Unterschied im Einsatz der Epiduralanästhesie bzw. in der Gabe von Analgetika in beiden Gruppen. *Schlussfolgerung:* Aufgrund der signifikant kürzeren Eröffnungsperiode und dem signifikant geringeren Einsatz von Wehenmittel stellt die Akupunktur eine empfehlenswerte komplementäre Massnahme in der Geburtsvorbereitung dar.

Endokrinologie/Reproduktionsmedizin

40

Inzidenz des männlichen hyper- und normogonadotropen Hypogonadismus in IVF/ICSI-Patienten

M. Bals-Pratsch, S. Kasparek, T. Schill, K. Diedrich
Universitäts-Frauenklinik, Med. Univ., Ratzeburger Allee 160, D–23538 Lübeck, Deutschland

Einführung: Patienten (PAT) mit männlicher Infertilität (MI) haben meist eingeschränkte Ejakulatparameter. Es ist allgemein bekannt, dass die Spermatogenese und Testosteron-(T)-Produktion (exokrine und endokrine Hodenfunktion) zusammenhängen. Jedoch werden selbst hochgradig infertile Männer in IVF/ICSI-Programmen häufig nicht klinisch-endokrinologisch untersucht. Daher ist davon auszugehen, dass der männliche Hypogonadismus (MHG) häufig nicht erkannt und somit nicht behandelt wird. Wenn diese Annahme zutrifft, werden viele PAT mit Infertilität unbehandelt eine Osteoporose sowie Einschränkungen der Leistungsfähigkeit und Sexualfunktion erleiden. *Methode:* Innerhalb von 2½ Jahren wurden 436 infertile Männer (22–55 Jahre, Median 33,2 Jahre) aus dem IVF/ICSI-Programm klinisch und endokrinologisch nachmittags in der Andrologischen Sprechstunde einer Universtitäts-Frauenklinik untersucht. Bei 152 Männern bestand der Verdacht auf einen MHG aufgrund eines T-Wertes <10 nmol/l. Diesen PAT wurde die weitere MHG-Diagnostik einschliesslich eines hCG-Testes (Überprüfung der Leydigzell-Funktion) angeboten: basale Blutentnahme Tag 1 zwischen 8–9 h, anschiessend 5000 IU hCG i.m., stimulierte Blutentnahmen Tag 3 (+48 Std.) und Tag 4 (+72 Std.). Der hCG-Test wurde als unauffällig bei Anstieg des T um den Faktor ≥ 1,5–2,5 bewertet. *Ergebnisse:* Der hCG-Test konnte in 52 der 152 PAT (34,2%) durchgeführt werden. Der MHG-Verdacht wurde bei 33 PAT (63,4%) bestätigt. Bei 20 dieser 33 PAT (60,6%) war der hCG-Test unauffällig. Bei 19 PAT (26,2%) konnte aufgrund eines T-Wertes >10 nmol/l ein MHG zum Testzeitpunkt ausgeschlossen werden. *Schlussfolgerungen:* Die Daten zeigen, dass fast jeder 4. Patient mit hochgradiger männlicher Infertilität hypogonadal ist. Diese PAT müssen mit T substituiert werden, um u.a. eine Osteoporose, Verminderung der Leistungsfähigkeit und Sexualfunktion zu verhindern. Jeder Mann eines sterilen Paares, bei dem aus männlicher Indikation die IVF/ICSI-Behandlung durchgeführt wird, hat ein hohes Risiko für einen MHG und sollte vollständig andrologisch-endokrinologisch untersucht werden.

41

Die Kommunikation und Interaktion zwischen Patientin und Arzt/Ärztin in der gynäkologisch-geburtshilflichen Konsultation – Empirische Analyse und strukturelles Modell

J. Bitzer
Universitäts-Frauenklinik, Abt. für Gyn. Sozialmedizin und Psychosomatik, Schanzenstrasse 46, CH–4031 Basel, Schweiz

Einleitung: Die Interaktion und Kommunikation zwischen Patientin und Arzt/Ärztin stellt die Grundlage jeder Konsultation dar und ist damit Voraussetzung für jede Diagnostik und Therapie. In der Literatur hat sich für die Erforschung und Analyse der Konsultation die problemlösungsorientierte Perspektive des «medical interview» (Lipkin, Putnam, Lazare) bewährt. *Fragestellungen:* Welche interaktiven Ebenen, Phasen, Inhalte, verbalen und averbalen Interventionen lassen sich in einer gynäkologisch-geburtshilflichen Konsultation unterscheiden? Lässt sich daraus ein strukturelles, generalisierbares Modell der Interaktion und Kommunikation ableiten? *Methode:* Supervision, Videoaufzeichnung, begleitende Beobachtung in 200 gyn.-geb. Konsultationen in der Poliklinik und Auswertung anhand Inhaltskategorien, «speech art categories», nonverbale, kommunikative Verhaltensweisen, Aktivitätskategorien, Segmente und Phasen des Interviews nach Stiles/Putnam. *Ergebnisse:* Inhaltsanalytisch fanden sich nach Clusterbildung folgende Problemstellungen: Körperliche Symptome mit Organbefund, körperliche Symptome ohne Organbefund, Gesundheitsvorsorge und Früherkennung von Krankheiten, Wünsche und Ziele im Hinblick auf Reproduktion und Sexualität, allgemeine psychosoziale Problemstellungen im Zusammenhang mit verschiedenen Lebensphasen. Die «speech categories» waren Fragen, Antworten, Zusammenfassungen, Wiederholungen, Meinungsäusserungen, Ratschlag, Ermunterung, Gefühle ansprechen, Anweisungen geben etc. Averbale Kommunikationsmuster waren Blickkontakt suchen, Blickkontakt meiden, Lächeln, körperlichen Ausdruck widerspiegeln, sich annähern, offene, geschlossene Haltung etc. *Schlussfolgerung:* Aus diesen Ergebnissen lässt sich ein allgemeines Modell der Konsultation ableiten, aus dem bestimmte kommunikative Fertigkeiten (communicative skills) für GynäkologInnen hervorgehen: Wahrnehmung und Informationserfassung auf mehreren Ebenen, Strukturierung der Konsultation, Fragetechniken, Verhandlungstechniken, Techniken der «patient education», Entscheidungsfindungstechniken, Problemlösungstechniken, Verhaltensbeeinflussung, Beziehungsgestaltung.

42

Chronic Pelvic Pain Syndrome (CPPS) und Vulvar Pain Syndrome (CVPS): Zwei gynäkologisch-psychosomatische Krankheitsbilder

R. Bodden-Heidrich[1], M. Busch[2], M.W. Beckmann[1], V. Küppers[1], I. Rechenberger[1], H.G. Bender[1]

[1] Univ.-Frauenklinik, Heinrich-Heine-Universität, Moorenstr. 5, [2] Orthopädie der Heinrich-Heine-Universität, D–40225 Düsseldorf, Deutschland

Einführung und Fragestellung: Chronisch rezidivierende Unterbauchschmerzen (Chronic Pelvic Pain Syndrome) und Vulvodynie (Chronic Vulvar Pain Syndrome) sind Krankheitsbilder innerhalb der Gynäkologie mit ausgeprägter klinischer Relevanz. Studienziel war, das chronische Unterbauchschmerz-Syndrom und die Vulvodynie als multifaktorielle psychosomatische Krankheitsbilder zu untersuchen unter besonderer Berücksichtigung der muskuloskeletalen Erkrankungen. *Patientinnen und Methoden:* An 106 CPPS- und 36 CVPS-Patientinnen wurden psychometrische Daten evaluiert, psychoanalytisch orientierte Diagnosen (mit interner und externer Supervision) gestellt und die Häufigkeit von stattgehabtem sexuellem Missbrauch und Alkoholkrankheit in der Primärfamilie untersucht. Darüber hinaus wurden diese Patientinnen klinisch orthopädisch untersucht und die Ergebnisse mit einem Kontrollkollektiv (N = 35) ohne Unterbauchschmerzen aber vorhandener gynäkologischer Erkrankung (LSK-Diagnosen) verglichen. 68 CPPS- und 24 CVPS-Patientinnen wurden testpsychologisch untersucht (FPI; GT) mit Gegenüberstellung einer Kontrollgruppe gesunder Frauen (N = 34). *Methoden der Statistik:* Multivariate Analysen, Chi-Quadrat-Test, Regressionsanalysen. *Ergebnisse:* Signifikant häufiger lag bei der CPPS-Gruppe ein stattgehabter sexueller Missbrauch vor. Sexueller Missbrauch und Somatisation erwiesen sich als signifikante prädiktive Faktoren. CPPS- und CVPS-Patientinnen waren signifikant depressiver als die gesunde Kontrollgruppe (N = 34). Die beiden klinischen Gruppen (CPPS, CVPS) unterschieden sich durch die signifikant häufiger auftretende sog. frühe Störungen (psychoanalytisch orientierte Diagnosen) beim CPP-Syndrom. Muskuloskeletale Erkrankungen waren beim CPPS signifikant häufiger als in der Vergleichsstudiengruppe (Vulvodynie) und der Kontrollgruppe (N = 35). *Schlussfolgerungen:* Für die Therapie dieser beiden Krankheitsbilder ist eine interdisziplinäre psychosomatisch orientierte Behandlung erforderlich, die auch die muskuloskeletalen Erkrankungen mit einschliesst.

43

Prostaglandin-Konzentrationen in Endometriose- und Funktions-Zysten des menschlichen Ovars

U. Cirkel, C. Hippel, J. Heinig, W. Schlegel, H.P.G. Schneider

Universitäts-Frauenklinik Münster, Albert-Schweitzer-Str. 33, D-48149 Münster, Deutschland

Einführung: Endometriose gehört zu den häufigsten benignen Neubildungen (Inzidenz: 6–44%) innerhalb der reproduktionsbiologisch aktiven Lebensphase der Frau. Dennoch ist ihr Einfluss auf die Follikulogenese weitgehend unbekannt. *Methodik:* Endoskopisch konnten 27 ovarielle Endometriose- und 7 Follikel- oder Lutein-Zysten gewonnen und histologisch untersucht werden. Im jeweiligen Zystenpunktat wurden die Prostaglandine (PG) $F_{2\alpha}$, E_2, FM, 6-keto-$F_{1\alpha}$, TXB_2 mittels FIA bzw. RIA bestimmt. Für die statistische Analyse wurden der Median $\bar{x}$, Minima/Maxima sowie das Signifikanzniveau mittels des Mann-Whitney-U-Testes ermittelt. *Ergebnisse:* Im Vergleich der Endometriose- mit den Funktions-Zysten konnten signifikant erhöhte PG-Konzentrationen bestimmt werden ($PGF_{2\alpha}$: $\bar{x}$ = 19,5/0,3 ng/ml, p < 0,001; PGE_2: $\bar{x}$ = 22,9/1,7 ng/ml, p < 0,05; PGFM: $\bar{x}$ = 5,7/0,3 ng/ml, p < 0,001; 6-keto-$PGF_{1\alpha}$: $\bar{x}$ = 19,4/0,5 ng/ml, p < 0,001; TXB_2: $\bar{x}$ = 0,5/0,1 ng/ml, p < 0, 01). *Schlussfolgerung:* Erhöhte PG-Konzentrationen gehen mit einer frühzeitigen Luteolyse einher. Es ist daher anzunehmen, dass ovarielle Endometriome über einen gesteigerten Arachidonsäuremetabolismus im Sinne einer parakrinen Fehlsteuerung die Follikulogenese stören und damit zur Entwicklung einer Luteal-Insuffizienz beitragen können.

44

Das Deutsche IVF-Register – ein Beitrag zur Qualitätssicherung

R. Felberbaum[1], W. Dahncke[2]

[1] Klinik für Frauenheilkunde und Geburtshilfe der Medizinischen Universität zu Lübeck, [2] Bundesgeschäftsstelle des Deutschen IVF-Registers, Ärztekammer Schleswig-Holstein, Lübeck, Deutschland

Einführung: Das Deutsche IVF-Register als freiwilliger Zusammenschluss der in Deutschland die Techniken der assistierten Reproduktion ausübenden Gruppen gibt einen hervorragenden historischen Überblick zur Entwicklung der in-vitro-Fertilisation in Deutschland seit 1982. Allerdings musste die Datenqualität bisher aufgrund einer retrospektiven und zum Teil nicht EDV-gestützten Datenerfassung als fragwürdig bezeichnet werden. Abgesehen von der Problematik, dass in vielen Bereichen der assistierten Reproduktion keine allgemeingültigen Standards vorliegen, erscheint die Bestimmung eines «Deutschen Standards» aufgrund der ermittelten Durchschnittswerte nur auf der Grundlage hochwertiger Daten möglich. *Material und Methode:* Im Jahr 1997 wurden erstmals nur EDV-gestützt erfasste Daten zur IVF für die Erstellung des Deutschen IVF-Registers verwertet. Unter Verwendung eines sehr umfassenden Fragebogens war es darüberhinaus für das zweite Halbjahr 1997 möglich, prospektiv erfasste Behandlungszyklen, deren Eingabe vor Abschluss der Therapie erfolgte, separat zu erfassen und mit den retrospektiv ermittelten Daten zu vergleichen. *Ergebnisse:* Im Jahr 1997 erfasste das Deutsche IVF-Register 37 962 Behandlungszyklen von 75 teilnehmenden Arbeitsgruppen. Davon waren 80,8% vollständig auswertbar. 6847 Behandlungen waren prospektiv und vollständig dokumentiert worden. Während die für alle Behandlungszyklen ermittelte Schwangerschaftsrate pro Transfer für IVF 24,4% und für ICSI 23,3% betrug, konnte in den prospektiv dokumentierten Behandlungen für beide Techniken nur eine Schwangerschaftsrate von 18,5% ermittelt werden. Die Rate der weiterführenden Schwangerschaften in diesem Kollektiv betrug 15,9%. Hinsichtlich des Schwangerschaftsverlaufes konnten nur in 70% der Fälle genauere Angaben gemacht werden. *Schlussfolgerungen:* In einem medizinisch, ethisch und sozial so sensiblen Bereich wie der assistierten Reproduktion erscheint es unabdingbar, saubere und verlässliche Angaben für die öffentliche Diskussion hinsichtlich Erfolgswahrscheinlichkeit und Qualität der Behandlung zu machen. Ähnlich wie in klinischen Studien ist dies nur auf der Grundlage prospektiv dokumentierter Daten möglich. Dieses Ziel muss in Zukunft unnachgiebig verfolgt werden. Ebenso erscheint eine Rate unvollständig dokumentierter Behandlungen von fast 20% und eine «lost for follow up»-Rate der erzielten Schwangerschaften von fast 30% völlig inakzeptabel.

45

Lipid- und Hormonserumspiegel postmenopausaler Frauen mit Hypercholesterolämie unter Sojasupplementation

D. Foth, Th. Römer, D. Arndt

Klinik und Poliklinik für Frauenheilkunde und Geburtshilfe der Ernst-Moritz-Arndt-Universität Greifswald (Direktor: Prof. Dr. W. Straube), Wollweberstr. 1–3, D–17489 Greifswald, Deutschland

Soja besitzt einen hohen Anteil an den Isoflavonen Daidzein und Genistein. Aus klinischen Untersuchungen ist bekannt, dass eine sojahaltige Diät klimakterische Symptome, insbesondere Hitzewallungen reduzieren kann und einen hypocholesterolämischen Effekt aufweist. Wir gingen der Fragestellung nach, wie sich Estradiol-, FSH-, LH-, Cholesterol-, Triglyzerid-, HDL-Cholesterol- und LDL-Cholesterolserumspiegel postmenopausaler, hypercholesterolämischer Frauen unter einer niedrig dosierten Applikation von Sojakonzentrat verhalten. Im Rahmen einer Pilotstudie erhielten 15 Frauen 20 g Sojaprotein und 20 mg Isoflavone täglich in Form eines Granulats kontinuierlich über 6 Monate (Protein Technologies International, St. Louis). Blutentnahmen zur Untersuchung der Hormon- und Lipidserumspiegel fanden vor Behandlungsbeginn, nach 1, 3 und 6 Monaten statt. Alle Patientinnen waren unter keiner speziellen Diät und nahmen keine Medikamente ein, die den Fettstoffwechsel beeinflussen. Das Essverhalten blieb während der Studienperiode konstant. Während des Beobachtungszeitraums sanken die Estradiolserumspiegel: vor Therapie 32,2 ± 14,3 und nach 6 Monaten 28,6 ± 14,0 ng/ml. Die FSH- und LH-Serumspiegel stiegen an. Bei keiner Patientin trat eine vaginale Blutung auf. Die Cholesterolserumspiegel zeigten zum 1. Behandlungsmonat eine fallende Tendenz (7,70 ± 2,31/7,38 ± 2,25 mmol/l), stiegen zum Ende des Beobachtungszeitraums jedoch wieder an (8,11 ± 2,90 mmol/l, nicht signifikant). Die Triglyzerid-, HDL-Cholesterol- und LDL-Cholesterolserumspiegel blieben konstant. Die Verabreichung von 20 mg Isoflavonen täglich beeinflusst die Serumestradiolspiegel nicht. Die Cholesterolserumspiegel konnten durch Sojasupplementation in der eingesetzten niedrigen Dosierung nicht gesenkt werden.

46

IGF-II Gen-Expression in humanen Testes bei gestörter Spermatogenese

W. Küpker, P. Kressin, R. Johannisson[1], K. Diedrich

Klinik für Frauenheilkunde und Geburtshilfe,
[1]Institut für Pathologie, Medizinische Universität Lübeck, Ratzeburger Allee 160, D–23538 Lübeck, Deutschland

Einführung: IGF-II gilt als ein monoallel exprimiertes Genprodukt paternaler Herkunft. Die uniparentale Expression des Genes in adulten Geweben basiert auf spezifischer Prägung, dem genomic imprinting. Durch die Möglichkeit, nicht nur reife testikuläre Spermatozoen, sondern auch unreife fühe Spermatiden bei Patienten mit Azoospermie zur intrazytoplasmatischen Spermatozoeninjektion zu verwenden, steht der Prozess der Ausreifung des Imprinting-Systems in Frage. Ziel dieser Untersuchung war es, die Gen-Expression des IGF-II im Hoden immunhistochemisch darzustellen. *Material und Methoden:* Insgesamt 15 Patienten mit Azoospermie und verschiedenen Spermatogenesestörungen [Sertoli cell only Muster (n = 5), Spermatogenese-Arrest (n = 5) und Hypospermatogenese (n = 5)] wurden untersucht. Zur Visualisierung von IGF-II Protein wurden Kryopräparate und formalinfixierte Paraffinschnitte nach Hodenbiopsie mit einem hochspezifischen IGF-II-Antikörper beladen. Der Nachweis der IGF-II-Expression am histologischen Schnitt erfolgte durch den Einsatz des EPOS-Detektionssystems (Enhanced Polymer One Step Staining) mit nachfolgender Peroxidasereaktion. *Ergebnisse:* An allen Präparationen konnte das IGF-II-Genprodukt detektiert werden. Ein Nachweis war nur an Keimzellen zu führen, während Sertoli- und Leydigzellen kein IGF-II exprimierten. Hohe Aktivität intranukleärer IGF-II-Produktion zeigte sich an in der Meiose stehenden Spermatozyten I. Ordnung, während dies in Spermatogonien nicht darstellbar war. *Schlussfolgerungen:* Die IGF-II Genexpression ist ausschliesslich in Keimzellen nachweisbar. Die Aktivität des Genes beginnt in der meiotischen Reifeteilung der Spermatogenese. Der frühe Beginn der Genexpression lässt vermuten, dass die genomische Prägung bereits zu diesem Zeitpunkt abgeschlossen ist und somit die Verwendung unreifer Spermatiden zur intrazytoplasmatischen Injektion und eine ungestörte frühe Embryogenese nicht kompromittiert.

47

Die östrogeninduzierte Zunahme des koronaren und uterinen Blutflusses kann durch Inhibition der NO Synthese antagonisiert werden

U. Lang, R.S. Baker, K.E. Clark

Universitätsfrauenklinik Giessen, Deutschland;
Department of Obstetrics and Gynecology, University of Cincinnati, Ohio, USA

Östrogenmangel wird mit einer erhöhten Inzidenz kardiovaskulärer Erkrankungen bei Frauen assoziiert. Postmenopausale Östrogenmedikation scheint das Risiko koronarer Herzerkrankungen bei

Frauen zu erniedrigen. Östrogenrezeptoren wurden sowohl im Koronarendothel als auch in der glatten Gefässmuskulatur des Uterus gefunden. *Fragestellung:* Ist der klinisch beobachtete positive Östrogeneffekt neben der bekannten metabolischen Wirkung auf Lipidmuster experimentell auch auf eine direkte Wirkung an den Koronargefässen zurückzuführen? Entspricht die an den Koronargefässen beobachtete Wirkung der Östrogene derjenigen in der uterinen Strombahn? *Methode:* Chronisch instrumentierte ovarektomierte Schafe wurden mit Perfusionssonden versehen, um Herzfrequenz, Blutdruck, Herzminutenvolumen und die Durchblutung der Arteria coronaria sinistra sowie der Arteriae uterinae messen zu können. Frühestens 8 Tage postoperativ wurde den Tieren 17-β Östradiol oder konjugierte Östrogene (Premarin) als Bolusgabe an verschiedenen Tagen i.v. appliziert. *Ergebnisse:* Nach Östradiolgabe in unterschiedlichen Dosierungen erhöhte sich die Durchblutung der Arteria coronaria sinistra und der Arteria uterina dosisabhängig. In der Dosierung von 1 mg/kg Körpergewicht zeigte sich ein Anstieg des koronaren Blutflusses um 28 ± 3%, das Herzminutenvolumen um 15 ± 1%, der Herzfrequenz um 13 ± 3%. Die uterine Perfusion stieg in wesentlich höherem Ausmass an. Das Maximum der Reaktion war nach 2 Stunden erreicht. Konjugierte Östrogene zeigten ähnliche Reaktionen der koronaren und uterinen Gefässe. Die Gabe des NO Synthetasehemmers L-Nitroargininmethylester (L-NAME) hatte keinen Effekt auf den basalen koronaren Blutfluss, unterdrückte jedoch die perfusionssteigernde Wirkung der Östrogengaben sowohl in der uterinen als auch der koronaren Strombahn. *Schlussfolgerung:* Akute Östrogenapplikation erhöht koronare und uterine Durchblutung beim chronisch instrumierten Schaf durch eine direkte dilatierende Gefässwirkung. Diese Wirkung kann durch Hemmung der NO Synthetase geblockt werden.

48

Qualitative Beurteilung von Vorkernstadien im Rahmen der IVF: Auswirkung auf Schwangerschaftsraten und Reduktion von Mehrlingsraten

M. Ludwig, B. Schöpper, S. Al-Hasani, K. Diedrich
Klinik für Frauenheilkunde und Geburtshilfe, Lübeck, Deutschland

Einleitung: Im Rahmen der assistierten Reproduktion (ART) stellt die Mehrlingsschwangerschaft eines der Hauptkomplikationen dar. Bei der in vitro Fertilisation (IVF) liegt die Mehrlingsrate bei etwa 20%. Sie korreliert streng positiv mit der Zahl der transferierten Embryonen und der Schwangerschaftsrate (SS-R). Es ist bekannt, dass der Transfer von zwei idealen Embryonen eine optimale SS-R erzielen lässt bei akzeptabel niedriger Mehrlingsrate. Nach dem deutschen Embryonenschutzgesetz (ESchG) darf jedoch nicht im Embryonalstadium nach Qualität selektiert werden, vielmehr muss die Auswahl bereits im Stadium des Vorkernstadiums (VK) erfolgen. Dieses Stadium galt bisher als qualitativ nicht beurteilbar. *Fragestellung:* Kann ein neuer Bewertungsscore von VK helfen, die SS-R in einem IVF-Programm vorherzusagen? *Material und Methode:* 64 unselektierte IVF/ICSI (intrazytoplasmatische Spermieninjektion) Zyklen mit 349 VK wurden prospektiv anhand eines neuen Scores beurteilt (Scott, 1998). Die VK mit den höchsten Scores wurden weiterkultiviert, die verbliebenen – sofern vorhanden – für einen späteren Behandlungsversuch tiefgefroren. Die Ergebnisse des Scores wurden mit der SS-R korreliert. *Ergebnisse:* Von 49 Zyklen lagen bisher komplette Daten inkl. des Schwangerschaftseintritts vor. Bei einem mittleren Score der verwendeten VK von <13 lag die SS-R bei 5.2% (1/19), bei einem Score ≥13 lag die SS-R bei 33,3% (10/30). Wurden nur solche Zyklen berücksichtigt, bei denen mehr als 3 VK zur Auswahl standen, so ergab sich eine SS-R von 11.1% (1/9) bei einem Score <13, und von 50% (10/20) bei einem Score ≥ 13. *Schlussfolgerungen:* Die Berücksichtigung des Scores könnte in Deutschland helfen, trotz der Vorgaben des ESchG die SS-R deutlich zu verbessern. Es werden weitere Daten gesammelt, um beurteilen zu können, inwieweit die SS-Rn nach dem Transfer von nur 2 Embryonen, entwickelt aus VK, die nach dem Score selektiert wurden, durch dieses Verfahren optimiert werden können.

49

Photodynamische Diagnostik der Endometriose mit 5-Aminolävulinsäure (ALA)

E. Malik, A. Meyhöfer-Malik, Ch. Berg, K. Diedrich
Klinik für Frauenheilkunde und Geburtshilfe, Medizinische Universität zu Lübeck, Ratzeburger Allee 160, D–23538 Lübeck, Deutschland

Einführung und Fragestellung: Zahlreiche Untersuchungen zeigen, dass in einem hohen Prozentsatz aktive, proliferierende Endometrioseherde atypischen peritonealen Veränderungen zugrunde liegen. Diese nicht pigmentierten Herde sind vielgestaltig und nicht zweifelsfrei von peritonealen Veränderungen anderer Genese zu unterscheiden. Am Modell der Chorioallantoismembran konnten wir zeigen, dass ALA selektiv im ektopen Endometrium angereichert wird. Die Fluoreszenzmaxima wurden zwischen 10–14 h nach ALA-Applikation registriert. Im Rahmen einer Patientenanwendung sollte gezeigt werden, ob durch eine intraoperative Fluoreszenzdiagnostik eine beobachterunabhängige Beurteilung von nicht pigmentierten Endometrioseherden erreicht werden kann. *Material und Methode:* 37 Patientinnen mit einer histologisch nachgewiesenen Endometriose bzw. endometriosetypischen Beschwerden erhielten 10–14 h vor der Laparoskopie 30 mg ALA/kg Körpergewicht oral. Zur Induktion der Fluoreszenz wurde das D-Light System der Firma Storz (Tuttlingen) eingesetzt. Der Situs wurde sowohl unter dem Weisslicht als auch dem Blaulichtmodus beurteilt. Alle optisch auffälligen und alle fluoreszierenden Bezirke sowie einige unauffällige Areale wurden biopsiert und histologisch aufgearbeitet. *Ergebnisse:* Bei 30 Patientinnen konnte eine Endometriose histologisch gesichert werden. Es konnten 28 pigmenierte, nicht fluoreszierende endometrioseverdächtige Herde biopsiert werden. In 12 dieser Fälle (42,9%) konnte eine Endometriose histologisch nachgewiesen werden. Von den 55 nicht pigmentierten, allerdings stets fluoreszierenden peritonealen Arealen gelang der histologische Nachweis einer Endometriose in 32 Fällen (58,2%). Interessanterweise fanden wir 11 lupenoptisch unauffällige Areale mit Fluoreszenz. Die histologische Sicherung einer Endometriose gelang hierbei in 6 Fällen. Wertet man das histologische Ergebnis als Referenz, so ergibt sich für die Fluoreszenzdiagnostik der nicht pigmentierten und okkulten Endometriose eine Sensitivität von 58% und eine Spezifität von 100%. In zwei Fällen wurde ein Gesichtserythem, in zwei weiteren Übelkeit beobachtet. *Schlussfolgerung:* Die Endometriosediagnostik mittels ALA erlaubt eine Visualisierung von nicht pigmentierten und okkulten Endometrioseherden. Dieses Verfahren könnte somit zu einer Steigerung der Reliabilität der Endometriosediagnostik beitragen.

50

Der Mikro-Bead-Test: Ein rasterelektronenmikroskopischer Bindungs-Assay

H.W. Michelmann[1], C. Magerkurth[1], E. Töpfer-Petersen[2], P. Schwartz[3]

[1]Univ. Frauenklinik Göttingen, Robert-Koch-Str. 40, D–37075 Göttingen, [2]Inst. f. Reprod. Med., Bünteweg 15, D–30559 Hannover, [3]Inst. f. Anatomie, Univ. Göttingen, Kreuzbergring 36, D–7075 Göttingen, Deutschland

Einführung und Fragestellung: Erkennung und Bindung von Spermatozoen an der Zona pellucida sind Spezies spezifisch und werden durch die Zuckerseitenketten der Glykoproteine der Zona sowie ihrer korrespondierenden Proteine auf den Spermatozoen kontrolliert. Es war das Ziel der vorliegenden Arbeit, einen Test zu entwickeln, der nicht nur die Bindungsstellen auf der menschlichen Zona pellucida sichtbar macht sondern auch die für eine Bindung notwendigen Oligosaccharide. *Material und Methode:* Als «künstliche» Spermatozoen wurden Mikro-Kügelchen (Mikro-Beads) mit einem Durchmesser von 5 µm mit dem Lektin Con A beschichtet und zusammen mit 75, nach intrazytoplasmatischer Spermatozoen-Injektion (ICSI) unbefruchtet gebliebener Eizellen (Gruppe A) kultiviert. Con A bindet spezifisch an α-D-Mannose, einer der möglichen Bindungszucker auf der Zona. Als Kontrollgruppe dienten 75 unbefruchtete Eizellen nach ICSI (Gruppe B), die ebenfalls mit Con A beschichteten Mikro-Beads kultiviert wurden. In dieser Gruppe war jedoch ein, die Bindung inhibierender Zucker (α-Methyl-Mannopyrasosid) dem Medium zugefügt worden. *Ergebnisse:* Auf rasterelektronenmikroskopischen (REM) Bildern zeigten die Mikro-Beads ein Bindungsverhalten an menschlichen Oozyten, das exakt dem von Spermatozoen entsprach. Diese Bindungen erwiesen sich als extrem heterogen mit einer unterschiedlicher Anzahl gebundener Beads und einem stark variierendem Verteilungsmuster. Im Gegensatz zu den Oozyten der Gruppe B hatten die meisten der Oozyten aus Gruppe A mehr als 100 gebundene Beads an ihrer Oberfläche (A = 66% vs. B = 0%). Nur sehr wenig Eizellen aus der Gruppe A zeigten weniger als 11 gebundene Beads im Vergleich zu den Oozyten aus Gruppe B (A = 1% vs. B = 68%). *Schlussfolgerungen:* Der Mikro-Bead-Test ist sehr gut geeignet, sowohl Bindungsstellen auf der Zona pellucida als auch die an der Bindung beteiligten Zuckerstrukturen sichtbar zu machen.

51

Biochemische Charakterisierung der Veränderungen des Knochenstoffwechsels im Übergang von Prämenopause zu Postmenopause

V. Seifert-Klauss, J. Müller, R. Probst[1], P. Luppa[1], H. Graeff

Frauenklinik und Poliklinik rechts der Isar der TU München, [1]Institut für Klin. Chemie und Pathobiochemie der TU München, Deutschland

Einleitung: In der Perimenopause und frühen Postmenopause wird ein gesteigerter Knochenabbau beobachtet, für den der Östrogenmangel verantwortlich gemacht wird. Für eine genauere Charakterisierung der Stoffwechselvorgänge im Knochen stehen inzwischen drei sensitive Marker für Knochenabbau zur Verfügung: n-terminale Telopeptide (NTX), Desoxypyridinolin (DPD), und Pyridinolin (PYD). Als Marker des Knochenaufbaus haben sich Osteocalcin (OC) und knochenspezifische alkalische Phosphatase (BAP) etabliert. *Materialien und Methoden:* Wir verglichen in einer offenen, nicht-randomisierten prospektiven Studie den Knochenstoffwechsel von 25 perimenopausalen (Gruppe 1) und 15 postmenopausalen (Gruppe 2) Patientinnen mit dem prämenopausaler Frauen (Gruppe 4, n = 17) ohne Hormoneinnahme, sowie dem von 11 Patientinnen, die unter GnRH-Therapie einem plötzlichen Östrogen-Entzug ausgesetzt waren (Gruppe 3). 7/25 der perimenopausalen (Gruppe 5) und 8/15 der postmenopausalen Patientinnen (Gruppe 6) akzeptierten nach drei Monaten eine angebotene Hormonsubstitution. Alle Patientinnen wurden zum Zeitpunkt 0, 3, 6 und 12 Monate untersucht. *Ergebnisse:* Die gefundenen Veränderungen der Knochenstoffwechsel-Parameter über ein Jahr (für Gruppe 3: Veränderung nach 3 Monaten GnRH-Therapie) sind in der nachfolgenden Tabelle zusammengefasst. Angegeben sind die Mitttelwerte der Differenzen in Prozent der Ausgangsmittelwerte

Gruppe	n	NTX%	DPD%	PYD%	OC%	BAP%
1	18	–7,5	+48,3**	+34,8**	+27,4**	–1,1
2	7	+23,3	+22,5	+19,3	+8,7	–1,0
3	11	+19,8*	+10,5	+3,9	+12,9	+19,7
4	17	+1,7	+23,7	+25,6**	+19,9	–13,2*
5	7	–9,2	+47,7	+13,8	+8,9	–4,1
6	8	–14,6	–18,3	–18,7	+5	–7,9

Signifikanzen im 2seitigen Test für gepaarte Stichproben: * $p < 0,05$, ** $p < 0,01$. *Schlussfolgerungen:* Nach den Ergebnissen lässt sich folgende Hypothese zu den Abläufen im Knochenstoffwechsel während des Überganges von der Prä- zur Postmenopause ableiten: In der Prämenopause beginnt eine Verminderung des Aufbauparameters BAP, in der Perimenopause folgt der Übergang zu einer relativ Östrogen-unabhängigen Erhöhung des Knochenabbaus (DPD und PYD) mit reaktiv gesteigertem Knochenaufbau (OC) und in der Postmenopause kommt es schliesslich durch Östrogenentzug zu einer Erhöhung von NTX, dem am schnellsten reagierenden und empfindlichsten Marker für Östrogenentzug (signifikanter Anstieg nach 3 Monaten GnRH-Therapie).

52

Parakrine Regulation von Matrix Metalloproteinasen (MMPS) im menschlichen Endometrium durch lokale Zytokine

C.F. Singer[1,3], E. Marbaix[1,2], P. Lemoine[1], Y. Eeckhout[1], P.J. Courtoy[1]

[1]Cell Biology Unit, International Institute of Cellular and [2]Molecular Pathology und Department of Pathology, Louvain University Medical School, Belgien;
[3]jetzige Adresse: Abteilung für Spezielle Gynäkologie and der Universität Wien, Österreich

Im Laufe des Menstruationszyklus folgt die Expression der interstitiellen Kollagenase (MMP-1) und die einiger anderer verwandter Matrix-Metalloproteinasen (MMPs) im Endometrium dem spätsekretorischen Abfall von Östrogen- und Progesteronplasmakonzentrationen. Insbesondere MMP-1 scheint eine bedeutende Rolle bei der darauf folgenden Ablösung von Gebärmutterschleimhautanteilen zu besitzen. Der Mechanismus, über den Sexsteroide die Freisetzung endometrialer MMPs regulieren, ist immer noch unklar, obwohl eine Vielzahl von Beobachtungen die Bedeutung lokaler Zytokine aufzeigen. Wir konnten demonstrieren, dass in Abwesenheit von Sexsteroiden epithelstämmiges IL-1α die Expression von MMP-1 in benachbarten Fibroblasten stimuliert. Sexsteroide blockieren die Freisetzung von IL-1α aus dem Epithelium und hemmen MMP-1.

Während im Falle von MMP-1 ein einzelnes Zytokin als Mediator der Sexsteroidwirkung dient, so scheinen andere MMPs durch mehrere Faktoren reguliert zu werden. Mittels RNase Protection Assays haben wir analysiert, wie lokal produzierte Zytokine in der Regulation von MMPs potentiell miteinander kooperieren können. Wir haben weiter untersucht, ob die Dauer der Zytokinexposition für die MMP Expression von Bedeutung ist, und fanden, dass die kontinuierliche Stimulation zu einer verringerten Ausschüttung von MMPs führt, wahrscheinlich durch eine Herunterregulierung von Zytokinrezeptoren. Es ist daher durchaus wahrscheinlich, dass das so heterogene spatio-temporale Expressionsmuster bestimmter MMPs während des Menstruationszyklus das Resultat des differentiellen Ansprechens auf lokal produzierte Zytokine darstellt.

53

Mutationen im Gen für Leukemia Inhibitory Factor (LIF) bei Frauen mit ungewollter Kinderlosigkeit

T. Steck, I. Tanasescu, R. Giess[1], M. Sendtner[1]

Frauenklinik und [1]Neurologische Klinik der Universität Würzburg, Josef-Schneider-Str. 4, D–97080 Würzburg, Deutschland

Fragestellung: Das Zytokin LIF wird in zyklusabhängiger Weise vom Endometrium produziert mit einer maximalen Expression zwischen dem 19. und 25. Tag (Phase der Implantation) und findet sich auf der Oberfläche der Blastozyste. Es ist wesentlich an der Kontrolle der Implantation beteiligt. Weibliche Mäuse mit zwei inaktivierten LIF-Genen können sich nicht fortpflanzen. Bei kinderlosen Frauen wurden reduzierte Konzentrationen von LIF im uterinen Sekret nachgewiesen [1]. Über die Häufigkeit von LID-Mutationen als mögliche Ursache einer ungewollten Kinderlosigkeit beim Menschen ist nichts bekannt. *Methoden:* Wir entwickelten ein Verfahren, um die codierende Region und weitere regulatorische Abschnitte des LIF-Gens auf Mutationen zu screenen, und untersuchten damit 74 Frauen mit primärer Sterilität sowie 75 fertile Frauen mit mindestens einer Lebendgeburt und 131 Frauen mit neurologischen Erkrankungen (z.B. Apoplexie) als Kontrollkollektive. Drei codierende Exone des LIF-Gens wurden jeweils mit PCR amplifiziert und die Produkte über SSCP-Analyse auf Punktmutationen untersucht. Die gefundenen Polymorphismen wurden in der direkten Sequenzierung bestätigt. *Ergebnisse:* In der Gruppe mit ungewollter Kinderlosigkeit fanden wir 3 Punktmutationen, davon eine in unmittelbarer Nähe des Startcodons von Exon 1 und zwei in Exon 3 in Bereichen, die für die Interaktion mit dem LIF-Rezeptor verantwortlich sind. Alle diese Mutationen waren heterozygot und funktionell relevant. Nur in 1/206 Kontrollen entdeckten wir eine, funktionell bedeutungslose, Mutation in Intron 2. *Schlussfolgerungen:* Diese heterozygoten LIF-Mutationen können für die verringerte Produktion oder/und Bioverfügbarkeit des LIF-Proteins im Endometrium, wie zuvor beschrieben [1], verantwortlich sein und somit die Bedingungen für eine erfolgreiche Implantation der Blastozyste verschlechtern. Die Mutationen sind somit in der Lage, in einem kleinen Teil der Frauen die Kinderlosigkeit zu erklären. Die lokale Substitution von LIF im Uterus könnte eine therapeutische Option bei kinderlosen Frauen mit LIF-Mutationen darstellen.

Literatur

1 Laird SM, et al: The production of leukemia inhibitory factor by human endometrium: presence in uterine flushings and production by cells in culture. Hum Reprod 1997;12:569–574.

54

Die zellspezifische Expression des Angiotensin II-Rezeptors Typ 2 (AT2) und dessen funktionale Bedeutung im maturen Rattenovar

M. Weigel, N. Obermüller[1], N. Gretz[1], F. Melchert

Universitätsfrauenklinik und [1]Zentrum für Medizinische Forschung, Fakultät für Klinische Medizin Mannheim, Universitätsklinikum Mannheim, Deutschland

Die Ovarialfunktion wird lokal durch eine Reihe von Modulationssystemen beeinflusst, zu welchen auch das Renin-Angiotensin-System (RAS) gezählt wird. Dessen Funktion und Bedeutung sind aber bis heute nur unzureichend bekannt. *Fragestellungen:* Welche Zelltypen exprimieren im Spontanzyklus den Typ 2-Rezeptor (AT2) für Angiotensin II (ANGII) und mit welchen charakteristischen funktionalen Zellveränderungen steht dessen Expression in Zusammenhang? *Methode:* An perfusionsfixierten Ovarien maturer Ratten wurde die zellspezifische mRNA-Expression von AT2 durch nichtradioaktive in-situ-Hybridisierung lokalisiert. Analog wurde in Ovarfolgeschnitten auch die mRNA von Clusterin als frühem Marker apoptotischer Prozesse in-situ nachgewiesen. Eine HE-Färbung diente morphologischen Vergleichen, eine TUNEL-Färbung dem insitu-Nachweis Apoptose-spezifischer DNA-Degradate. *Ergebnisse:* 1. Als Expressionsort von AT2-mRNA fanden sich ausschliesslich Granulosazellen antraler Follikel. 2. In Folgeschnitten konnte eindeutig ein Zusammenhang von AT2-Expression und Follikelatresie aufgezeigt werden. 3. Durch den Nachweis von Clusterin-mRNA in Granulosazellen und die TUNEL-Färbung konnten atretische Follikel weiter charakterisiert werden: Demnach geht die mRNA-Expression von AT2 derjenigen von Clusterin voran. *Schlussfolgerungen:* Die Expression von AT2 leitet wohl die Apoptose der Granulosazellen ein, die der Follikelatresie zugrunde liegt. Dies lässt die Möglichkeit erkennen, durch eine pharmakologische Rezeptorblockade diesen durch ANGII vermittelten Prozess in seiner Startphase zu hemmen. Die Übertragbarkeit dieser Ergebnisse auf den Menschen vorausgesetzt, liessen sich daraus neue Therapieansätze zur Prävention der Follikelatresie in der Reproduktionsmedizin ableiten, z.B. für das PCO-Syndrom oder für die kontrollierte Überstimulation der Ovarien.

55

Endometriales Interleukin-6 als potentieller Implantationsfaktor: Untersuchungen zu Expression und Regulation

M. von Wolff[1,2], C.J. Thaler[2], S. Stieger[2], C. Zepf[2], S. Tabibzadeh[1], H.M. Beier[3], T. Strowitzki[2]

[1]North Shore University Hospital, Pathology, Manhasset, New York, N.Y., USA, [2]Klinik und Poliklinik für Frauenheilkunde und Geburtshilfe, Klinikum Grosshadern, München, [3]Institut für Anatomie und Reproduktionsbiologie, RWTH-Aachen, Deutschland

Einführung: Die Schwangerschaftsraten moderner reproduktionsmedizinischer Techniken werden wesentlich durch den Vorgang der Implantation limitiert, dessen Funktion und Regulation bisher nur ansatzweise geklärt sind. Offenbar kommt eine wichtige Rolle den Zytokinen zu: LIF wurde im Mausmodell als essentieller Implantationsfaktor beschrieben. Beim Menschen könnte das LIF-Homolog Interleukin-6 (IL-6) eine wesentliche Rolle bei der Steuerung der Implantationsvorgänge haben. *Fragestellung:* Wird IL-6 im

Endometrium zyklusabhängig exprimiert und in das Cavum uteri sezerniert? Welchen Faktoren unterliegt die Steuerung der IL-6 Expression? *Material und Methoden:* Endometriales Gewebe und Uterussekret wurde aus hysterektomierten Uteri entnommen. An Gewebeschnitten (n = 32) wurde immunhistochemisch die IL-6 Expression dargestellt, in Gewebehomogenaten (n = 47) die IL-6 mRNA-Expression mittels eines RNase Protection Assays analysiert und im Uterussekret (n = 33) per ELISA das sezernierte IL-6 bestimmt. In Epithel- und Stromakulturen (n = 10) wurde die Östradiol- und Progesteronabhängige Expression von IL-6 untersucht. Der Einfluss von TNF-α, IL-6 und IL1β auf die IL-6 Expression wurde in Cokulturen aus mononukleären Zellen und endometrialen Epithel- und Stromazellen (n = 5) sowie mittels einer direkten Stimulation reiner Epithel- und Stromazellkulturen (n = 5) per ELISA und semiquantitativer RT-PCR analysiert. *Ergebnisse:* IL-6 mRNA wird minimal in der Proliferationsphase exprimiert und steigt kontinuierlich um das 2–3fache ($p < 0.01$) in der Sekretionsphase an. Der Anstieg ist auf die endometrialen Drüsen beschränkt. Entsprechend konnte IL-6 im Uterussekret nur in der Sekretionsphase mit einem Maximum in der mittleren bis späten Sekretionsphase ($p < 0.01$) nachgewiesen werden. In vitro nahm die IL-6 Sekretion in Epithelzellen – nicht in Stromazellen – unter Stimulation mit Östradiol und Progesteron um das 1,5fache und unter der Kombination aus beiden Steroiden um das 2fache ($p < 0.05$) zu. In Stromazellen wird die IL-6 Sekretion zytokinabhängig reguliert. Die Stimulation in den Cokulturen beruhte auf IL-1β und TNFα, die bei einer Konzentration von 10 ng/ml zu einer 10–20fachen (IL-1β) und 5–10fachen (TNF-α) Sekretionszunahme führten. *Schlussfolgerung:* Die Expression von IL-6 findet sich maximal unter Bedingungen, die dem Zeitpunkt der Implantation nahekommen. Diese Befunde untestützen ein wichtige Rolle von IL-6 bei der Implanation.

56

Die Epidemiologie und Prävalenz der Chlamydien-assoziierten und nicht Chlamydien-assoziierten mukopurulenten Cervicitis

M. Ziegert[1], I. Sziller[2], E.R. Weissenbacher[3], H. Alexander[1], S.S. Witkin [4]

[1]Universitätsfrauenklinik Leipzig, Deutschland,
[2]Frauenklinik der Semmelweis Unversität Budapest, Ungarn;
[3]Klinikum Grosshadern der LMU München, Deutschland;
[4]Frauenklinik der Cornell Universität, New York, N.Y., USA

Einführung und Fragestellung: Erste Hinweise auf eine Chlamydieninfektion geben im Vorfeld des mikrobiologischen Befundes anamestische Daten und klinische Zeichen der mukopurulenten Cervicitis (MPC). Gibt es Unterschiede in der Prävalenz, klinischen Manifestation und Ätiologie der MPC? *Methode:* 311 Frauen mit Symptomen einer Infektion des unteren Genitaltraktes wurden in zwei unabhängigen Zentren prospektiv untersucht. Es wurden demographische, anamnestische, standardisierte klinische und bakteriologische Daten (Zellkultur, PCR) erhoben. *Ergebnisse:* Die Prävalenz der klinisch diagnostizierten, mukopurulenten Cervicitis betrug 27,3% (n = 85) und korrelierte mit jüngerem Lebensalter ($p < 0{,}05$), Ehelosigkeit ($p < 0{,}0005$), häufigem Partnerwechsel ($p < 0{,}05$), Partnerwechsel in den zurückliegenden 3 Monaten ($p < 0{,}005$), anamnestisch bekannter PID ($p < 0{,}001$) und Abortanamnese ($p < 0{,}02$). Als klinische Zeichen waren bei der mukopurulenten Cervicitis eine Ektopie ($p < 0{,}03$), eine vulnerable Portio ($p < 0{,}00001$) und dicker endozervikaler Fluor ($p < 0{,}00001$) signifikant häufiger. C. trachomatis wurde in 55,3% der Fälle (n = 47) mit mukopurulenter Cervicitis festgestellt, wobei in keinem Fall N. gonorrhoea auftrat. In 44,7% der Fälle (n = 38) mit klinisch diagnostizierter mukopurulenter Cervicitis konnte kein Erreger nachgewiesen werden. Bezüglich soziodemographischer, anamnestischer, klinischer und koexistierender vaginaler Infektionen konnte kein Unterschied zwischen C. trachomatis und nicht C. trachomatis bedingter MPC festgestellt werden. *Schlussfolgerung:* Die Ätiologie und klinischen Folgen einer mukopurulenten Cervicitis ohne mikrobiologisch nachgewiesenen Erreger bleiben ungeklärt. Ätiologisch sind lokale (auto)immune Prozesse zu erwägen, bei denen Autoantigene Homologiesequenzen mit Epitopen bakterieller Strukturen aufweisen, wie sie bei Heat shock Proteinen gefunden werden. Eine Autoimmunantwort bei unspezifischem Reiz könnte somit klinisch eine C. trachomatis-Mimikry verursachen, die ein anderes therapeutisches Vorgehen erfordert.

57

Das humane Endometrium als Zielgewebe – Anreicherung hormonähnlicher Chemikalien und Rezeptorbindung

P. Kaltwasser[1], E. Seliger[1], A. Kuntzsch[1], G. Seliger[2], A. Küchenhoff[2], J. Buchmann[3], F. Röpke[1]

[1]Klinik für Geburtshilfe und Reproduktionsmedizin, [2]Institut für Anatomie und Reproduktionsbiologie, [3]Institut für Pathologie der Martin-Luther-Universität Halle-Wittenberg, D–6097 Halle/Saale, Deutschland

Einführung: Die Fortschritte in der heutigen Reproduktionsmedizin sind vorrangig dem Einsatz neuer Hormonanaloga und rekombinanter Gonadotropine sowie der methodischen Entwicklung im reproduktions-biologischen Labor zu verdanken. Unsere Untersuchungen am Endometrium sollen zur Aufklärung von Sterilitätsursachen dienen, die ihren Ursprung in der Störung endokriner Regelkreise in diesem Zielgewebe haben. *Methode:* Endometrien aus Biopsien oder Hysterektomien von Frauen im reproduktionsfähigen Alter wurden als Ausgangsmaterial für folgende Untersuchungen eingesetzt: Quantitative Bestimmung von Umweltchemikalien mit GC/MS. Bestimmung der Rezeptorbindungsaffinität im kompetitiven Liganden-Sättigungsassay. Immunhistochemischer Rezeptornachweis. *Ergebnisse:* Im Rahmen der Expositionsuntersuchungen wurden DDT und seine Metaboliten, eine Reihe polychlorierter Biphenyle (PCB) sowie Beta-Hexachlor-Cyclohexan (β-HCH) im humanen Endometrium nachgewiesen. Die stärkste Anreicherung erfuhr p,p′-DDE. Die Belastung des Endometriums lag über den im Myometrium feststellbaren Konzentrationen. Im Kompetitionsversuch zeigte tert.-Octylphenol die höchste Bindungsaffinität zu den cytosolischen Steroidrezeptoren. DDE und PCB hatten eine wesentlich schwächere inhibitorische Wirkung. Neben den Steroidrezeptoren konnte als Molekül mit hoher Bindungsaffinität gegenüber Umwelt belastenden Chemikalien der Aryl-Hydrokarbon-Rezeptor (Ah-R) im humanen Endometrium nachgewiesen werden. *Schlussfolgerungen:* Im humanen Endometrium findet eine Anreicherung von Chemikalien mit potentiell endokriner Wirksamkeit statt. Besondere Beachtung verdienen bei weiteren Untersuchungen auf Grund ihrer hohen Rezeptoraffinität die Alkylphenole.

Gynäkologische Onkologie

58

Identifikation prädisponierender Genorte beim sporadischen Mammakarzinom – ein populationsgenetischer Ansatz

J. Backe[1,2], H. Sennefelder[2], T. Grimm[2], H. Caffier[1], B.H.F. Weber[2]

[1] Univ. Frauenklinik und [2] Institut für Humangenetik der Universität Würzburg, Deutschland

Einführung: Etwa 60% aller familiären Mammakarzinome entstehen durch hochpenetrante Mutationen in den Genen BRCA1 und BRCA2. Die meisten Mammakarzinome entstehen jedoch ohne eine eindeutig erkennbare familiäre Anamnese. Sie treten im höheren Lebensalter und selten bilateral auf, wobei sie typischerweise nicht in jeder Generation einer Familie manifest werden. Für diese Mammakarzinome ist das Vorliegen von Mutationen mit inkompletter Penetranz in prädisponierenden Genen wahrscheinlich. Die Identifikation derartiger Gene ist das Ziel dieser Untersuchung. *Material und Methoden:* Derzeit wird eine bevölkerungsbezogene Assoziationsstudie in der geographisch isolierten unterfränkischen Region Main-Rhön durchgeführt. Hierbei wird unselektiert eine möglichst grosse Blutprobenanzahl von Brustkrebspatientinnen der Region Main-Rhön gesammelt. Die Kontrollgruppe besteht aus DNA-Proben von gesunden Frauen im Alter über 50 Jahre, die aus der gleichen geographischen Region stammen. *Ergebnisse:* Es liegen bereits etwa 200 Brustkrebs-Proben und 400 Kontroll-Proben vor. Untersucht werden allelische Assoziationen zwischen möglichen Kandidatengenen und Brustkrebs. Als Kandidatengene wurden zunächst das BRCA1-, das BRCA2- und das ATM-Gen ausgewählt. Verwendet wurden die hochpolymorphen intragenisch gelegenen DNA-Marker D17S855 im BRCA1-, D13S1698 im BRCA2- sowie «ATMin45» im ATM-Gen. Bislang wurden 396 Brustkrebsallele und 800 Kontroll-DNA-Allele analysiert. Es ergaben sich fehlende allelische Assoziationen der Marker D17S855 ($p = 0{,}3$) und D13S1698 ($p = 0{,}94$) mit Brustkrebs im Mehrfelder-χ^2-Test. Für den Marker ATMin45 ergab sich hingegen eine signifikante Assoziation des Allels «6» mit Brustkrebs ($p = 0{,}014$). Alle 114 Träger des Risikoallels «6» wurden mit einem zweiten intragenischen Marker im ATM-Gen untersucht. Dabei waren 10/106 (9,4%) der Karzinome und 2/108 (1,8%) von den Kontrollen mit dem Allel «5» dieses zweiten Markers assoziiert. Das relative Brustkrebsrisiko von Trägern des Haplotyps «6-5» beträgt 7,2. *Schlussfolgerungen:* Die derzeitigen Ergebnisse weisen darauf hin, dass die beiden untersuchten Genorte im BRCA1 und BRCA2 keinen entscheidenden Beitrag in der allgemeinen Brustkrebsprädisposition leisten. Der ATM-Locus hingegen zeigt in Übereinstimmung mit anderen Arbeitsgruppen (van't Veer et al., Dublin, 1998) eine signifikante Assoziation mit Brustkrebs, wobei sich ein Risikohaplotyp identifizieren lässt, der mit einem erhöhten relativen Risiko für Brustkrebs einhergeht.

59

Identifizierung und Charakterisierung früher genetischer Veränderungen während der humanen Papillomvirus – (HPV) bedingten Tumorentstehung

C. Backsch[1], M. Poignée[2], K. Beer[1], M. Dürst[1]

[1] Gynäkologische Molekularbiologie, Klinik für Frauenheilkunde und Geburtshilfe, Klinikum der FSU Jena; [2] Angewandte Tumorvirologie, Deutsches Krebsforschungszentrum, Heidelberg, Deutschland

Humane pathogene Papillomviren (HPV) Typ 16 und 18 sind ursächlich an der Entstehung des Zervixkarzinoms beteiligt. Die Expression der viralen Onkogene E6 und E7 in primären menschlichen Keratinozyten bewirken eine verlängerte Lebensspanne sowie eine genetische Instabilität der Zellen. Desweiteren werden die meisten Kulturen immortal. CGH-Analysen (comparativ genomic hybridization) weisen darauf hin, dass eine Unterrepräsentation von Chromosom 4 und 10 am Immortalisierungsprozess beteiligt sein könnte. Mit Hilfe eines funktionellen Tests soll das Vorliegen von potentiellen Seneszenzgenen auf Chromosom 4 und/oder 10 untermauert werden. Unter Anwendung des Mikrokern-vermittelten Einzel-Chromosomen-Transfers (MMCT) wurden sowohl Chromosom 10 als auch ein Fragment von Chromsom 10 (del 10) in eine HPV 16-immortalisierte Zellinie (HPK II) eingeführt. Die nach Fusion wachsenden Zellklone wurden zahlenmässig erfasst, auf ihr Wachstumsverhalten und Aussehen beurteilt. Expandierfähige Klone wurden mittels Mikrosatelliten-PCR und Fluoreszenz-in situ-Hybridisierung (FISH) weiter charakterisiert. Wir konnten zeigen, dass als Folge des Chromosom 10-Transfers bei 30% der Hybride Seneszenz induziert werden konnte. Expandierbare Klone weisen, verglichen mit ihrer Ausgangszellinie HPK II, ein deutlich verlangsamtes Wachstumsverhalten auf. In weiteren Experimenten soll nun der potentielle Seneszenzgenlocus auf Chromosom 10 näher definiert werden. Die Studie erfolgt mit dem Ziel, genetische Marker zu finden, die eine prognostische Aussage von HPV-induzierten Präkanzerosen (zervikale intraepitheliale Neoplasie, CIN) erlauben.

60

Bedeutung des CD95 (Apo-1/Fas)Ligand- und Rezeptor-Systems in der Apoptose-Regulation beim Mammakarzinom

M.W. Beckmann, M. Müschen, C. Moers, D. Niederacher, U. Warskulat, J. Even, R. Josien, D. Häussinger, H.G. Bender

Heinrich-Heine-Universität, Düsseldorf, Deutschland; Institut Pasteur, Paris, Frankreich; The Rockefeller University, New York, N.Y., USA

Einführung und Fragestellung: Das CD95 (Apo-1/Fas) Ligand (CD95L)/Rezeptor-System (CD95tm: transmembran; CD95sol: löslich) ist an der physiologischen Apoptose-Regulation beteiligt. Alterationen der Interaktion der einzelnen Elemente scheinen von Bedeutung für die lokale Karzinominvasion und Immunreaktion zu sein. *Methoden:* In 49 Mammaproben (8 benigne/40 maligne/1 Xenotransplantat) und 4 Mammakarzinom (MC)-Zellinien wurden die mRNA- und Proteinexpression [CD95-System, CD3d: tumorinfiltrierende Lymphocyten (TIL)] mittels quantitativer RT-PCR und Immunfluoreszenz bestimmt. Zur funktionellen CD95L-Testung wurden Jurkat T-Lymphocyten (JTL) und primäre MC-Schnitte oder -Zellinien kokultiviert. Die Apoptoserate unter verschiedenen

Kulturbedingungen [(1) Apoptose-Inhibitor (CD95:Fc-Ig); (2) Metalloproteinase-Inhibitor (BB3103), (3) γ-IFN] wurde mittels TUNEL-Assay detektiert. Periphere CD4/CD8-Lymphocyten wurden mit FACS-Analyse bestimmt. *Ergebnisse:* Die CD95L-Expression korrelierte positiv , die CD95tm-Expression invers mit dem MC-Grading. Die CD95-Expression erfolgte in Mammazellen und nicht in TIL. In MC-Schnitten war die CD95L-Expression an der Tumor/Stromagrenze erhöht und korrelierte mit der CD95tm-Expression der Stromazellen (SZ). Der MC-exprimierte CD95L war funktionell. Die Quantität der Apoptose-Induktion von SZ (in situ) oder von kokultivierten JTL (in vitro) korrelierte mit zunehmendem Grading und CD95L-mRNA Expression des primären MC-Gewebes. CD95: Fc-Ig und BB3103 inhibierten, γ-IFN stimulierte diesen CD95L-Effekt. Die Zahl der peripheren CD4/CD8-Lymphozyten korrelierte invers zur CD95L-Expression. *Schlussfolgerungen:* Diese in vivo und in vitro Ergebnisse deuten auf 1. eine differentielle Regulation der CD95L-, CD95tm- und CD95sol-vermittelten Apoptose im Rahmen der MC-Dedifferenzierung und 2. Funktionen des CD95L als lokaler Invasionsfaktor und in der lokalen bzw. systemischen Immunsuppression.

61

Die Bedeutung des Tumorwachstumspotentials für die Prognose des Endometriumkarzinoms

G. Bonatz[1], *O.S. Frahm*[2], *W. Klapper*[2], *K. Heidorn*[2], *G. Krupp*[2], *R. Parwaresch*[2], *W. Jonat*[1]

[1]Universitätsfrauenklinik Kiel, [2]Zentrum für Pathologie, Universität Kiel, Universitätsfrauenklinik Kiel, Michaelisstr. 16, 24105 Kiel, Deutschland

Einführung und Fragestellung: Unter den Patientinnen mit Endometriumkarzinom (EMCA) befindet sich ein Kollektiv, dass trotz guter Prognosefaktoren frühzeitig an einem Rezidiv erkrankt. Ziel dieser Untersuchung war es deshalb, ergänzende Prognosefaktoren, die das Tumorwachstumspotential erfassen, zu bestimmen.

Material und Methode: Durch eine immunhistochemische Analyse mit neuen Zellzyklus-assoziierten MoAk (Ki-S2; Ki-S5), die eine Demarkierung der G1 Phase des Zellzyklus ermöglichen, wurde die Proliferationsaktivität (PA) in 164 Fällen mit EMCA retrospektiv ausgewertet. Eine Southern Blot Analyse der mittleren Telomerlänge wurde an Frischgewebe von 38 EMCA durchgeführt. Das Potential unbegrenzter Zellteilungen wurde in 47 EMCA durch einen quantitativen Telomerase-Assay (TRAP) untersucht. Die prognostische Aussagekraft der Parameter wurde im Vergleich zu traditionellen Prognosefaktoren bewertet. *Ergebnisse:* Während sich die traditionellen Prognosefaktoren und die immunhistochemischen Proliferationsmarker in der univariaten Analyse als prognostisch aussagekräftig erwiesen, ergab die multivariate Analyse, dass die Ki-S2 PA der primäre Prognosefaktor für rezidivfreies Intervall ($p = 0{,}002$) und bereinigte Überlebensrate ($p = 0{,}0001$) ist. Die mittlere Telomerlänge der EMCA war verglichen mit angrenzendem Normalgewebe signifikant reduziert ($p < 0{,}001$). Die relative Telomeraseaktivität zeigte eine signifikante Assoziation mit FIGO Stadium ($p = 0{,}02$), FIGO Grading ($p = 0{,}005$) und myometraner Infiltration ($p = 0{,}04$). Es traten zwei Todes- und vier Rezidivfälle im Kollektiv mit hoher Telomeraseaktivität auf. *Schlussfolgerungen:* Als entscheidender Prognosefaktor sollte die Ki-S2 PA in die Diagnostik des EMCA aufgenommen werden. Eine längere follow up Periode muss zeigen, ob sich die Telomeraseaktivität als ebenfalls schon am Abradat evaluierbarer Parameter, definitiv als Prognosefaktor herausstellen wird.

62

Ergebnisse, Erkenntnisse und Hypothesen zur ossären Metastasierung beim Mammakarzinom

I.J. Diel, E.F. Solomayer, Ch. Gollan, G. Bastert

Universitäts-Frauenklinik, Voss-Str. 9, 69115 Heidelberg, Deutschland

Einige wenige Tumoren, so auch das Mammakarzinom, neigen zur osteotropen Metastasierung. Obwohl das Phänomen der Organpräferenz in Tiermodellen recht gut untersucht ist, fehlen analoge Erkenntnisse beim Menschen. Experimente zur Pathogenese der Skelettmetastasierung verweisen auf die tumor-induzierte Aktivierung des Knochenstoffwechsels (z.B. durch PTHrP), die eine Voraussetzung für die Chemoattraktion und Absiedlung von Tumorzellen zu sein scheint. Ziel unserer Studien war es, Stoffwechselparameter des Knochens auf deren prognostische Bedeutung für eine ossäre Metastasierung zu untersuchen. Bei 400 Patientinnen mit primärem Mammakarzinom wurde präoperativ Blut für Serumanalysen entnommen. Im Serum wurden mittels Radioimmunoassays die Knochenstoffwechselparameter Osteokalzin (OC), Bone Sialoprotein (BSP) und Crosslaps (CL) bestimmt. Gleichzeitig wurden die Primärtumoren auf die Anwesenheit von immunoreaktivem parathormonähnlichem Protein (PTHrP) untersucht. Nach median 30 Monaten wurde eine Follow-up-Untersuchung der Patientinnen durchgeführt. Anschliessend wurde das Metastasierungsmuster mit den perioperativen Parametern analysiert und statistisch evaluiert. Innerhalb der Nachbeobachtungszeit hatten 28 Patientinnen eine Metastasierung erlitten (14 rein ossär, 9 rein viszeral, 5 gemischt). Der immunhistochemische Nachweis von PTHrP korrelierte signifikant mit dem Auftreten von Knochenmetastasen ($p = 0{,}034$), nicht aber von viszeralen Absiedlungen ($p = 0{,}922$). Der Knochenanbaumarker OC zeigte keine positiven Korrelationen, weder zu ossären noch zu viszeralen Metastasen. Als bester prognostischer Marker erwies sich der Nachweis von Bone Sialoprotein, einem nicht-kollagenen Matrixprotein, das sowohl vom Primärtumor, als auch vom Knochenumbau stammen kann. Fast alle Frauen mit subsequenter Skelettmetastasierung hatten präoperativ erhöhte BSP-Werte ($p < 0{,}001$; $RR = 94{,}1$), aber keine mit rein viszeralen Metastasen. Der Nachweis von Kollagenfragmenten (Abbaumarker CL) war ebenfalls signifikant mit einer ossären Metastasierung vergesellschaftet ($p = 0{,}029$), nicht aber mit einer viszeralen Absiedlung. Wir konnten mit unseren Studien zeigen, dass auch beim Menschen ein aktivierter Knochenstoffwechsel der ideale Nährboden für eine spätere ossäre Metastasierung darstellt. Vermutlich aktiviert der Primärtumor den ossären Turnover über PTHrP. Tumorzellen nutzen die integrinerkennende RGD-Sequenz von BSP, um an der Knochenoberfläche zu adherieren (ganz ähnlich wie der Osteoklast). Auch BSP entstammt zum grössten Teil der paraneoplastischen Aktivität des Primärtumors. Sowohl BSP, als auch die Serum-Crosslaps sind hervorragende Prognosefaktoren für eine spätere Knochenmetastasierung; und charakterisieren ein Hochrisiko-Kollektiv, das von einer prophylaktischen (adjuvanten) Bisphosphonattherapie profitieren kann.

63

Staging des Mammakarzinoms: Bedeutung der Positronen-Emissions-Tomographie mit FDG (FDG-PET) im Vergleich zur konventionellen Diagnostik

J. Dose, C. Bleckmann[1], *K. H. Bohuslavizki*[1], *F. Jänicke*

Frauenklinik und [1]Abteilung für Nuklearmedizin, Universitätskrankenhaus Hamburg Eppendorf, Deutschland

Einführung: Die Röntgenuntersuchung des Thorax (Rx), die Oberbauchsonographie (OBS) und die Skelettszintigraphie (Sz) gelten als Standarduntersuchungen zum Nachweis von Metastasen bei Patientinnen mit Mammakarzinom. Mit FDG-PET ist aufgrund der erhöhten Glukoseaufnahme maligner Tumoren im Vergleich zu Normalgewebe eine bildliche Darstellung sowohl von Mammakarzinomen als auch von Metastasen möglich. *Fragestellung:* Untersucht wurden Sensitivität und Spezifität von FDG-PET in der Detektion von Metastasen im Vergleich zur konventionellen Diagnostik. *Methode:* Die Untersuchungen wurden an einem Ganzkörper-Scanner durchgeführt. Die schwächungskorrigierten Emissionsaufnahmen wurden ohne Kenntnis der radiologischen Befunde beurteilt. Die Beurteilung der konventionellen Diagnostik erfolgte anhand der schriftlichen Befunde aus der Akte. *Ergebnisse:* 33 Patientinnen mit primärem Mammakarzinom, Lokalrezidiv oder bekannter Metastasierung wurden untersucht. Konventionelle Diagnostik zum Zeitpunkt der PET-Untersuchung: 32× RX-Thorax, 15× CT-Thorax, 33× Sz, 31× OBS, 5× CT-Abdomen. Bei 14 Patientinnen konnten pulmonale, hepatische oder ossäre Metastasen nachgewiesen werden. Mit Rx, Sz und OBS wurden von diesen 9 und mit PET 12 richtig erkannt, entsprechend einer Sensitivität von 64% bzw. 86% (Spezifität 95% und 95%). Bei Berücksichtigung aller Metastasenlokalisationen (z.B. mediastinale Lymphknoten) wurden mit Rx, Sz, OBS 9, mit Rx, Sz, OBS, CT 16 und mit PET 17 Patientinnen als metastasiert klassifiziert. Bei 20 Patientinnen konnte mit PET ein Mammakarzinom, bei 6 ein Lokalrezidiv und bei 13 axilläre LK-Metastasen zusätzlich dargestellt werden. *Schlussfolgerung:* FDG-PET weist eine hohe Sensitivität und Spezifität in der Diagnostik von Metastasen auf und scheint der konventionellen Diagnostik mit Rx, Sz und OBS überlegen zu sein. Vorteil von FDG-PET ist, dass mit einer Untersuchung alle möglichen Metastasierungsorte gleichzeitig beurteilbar sind.

64

Mutationen im DNA Mismatch Repair-System: Ein neuer Resistenzmechanismus mit klinischer Relevanz gegenüber Cisplatin

D. Fink, U. Haller

Departement Frauenheilkunde, Klinik für Gynäkologie, Universitätsspital Zürich, Schweiz

Mutationen im DNA Mismatch Repair (MMR)-System (z.B. hMLH1) finden sich gehäuft bei gynäkologischen Karzinomen. In vorangehenden Arbeiten konnten wir in der Zellkultur in vitro und im Xenograftmodell in vivo zeigen, dass Mutationen im MMR-System zu einer Resistenz gegenüber Cisplatin führen. *Fragestellung:* Führt eine platinhaltige Chemotherapie zu einer Anreicherung von MMR-defizienten Ovarialkarzinomzellen in vitro, im Tiermodell und auch klinisch? *Methode:* MMR-defiziente Tumorzellen wurden molekularbiologisch derart verändert, dass sie ein grünfluoreszierendes Protein exprimierten. MMR-defiziente und -profiziente Zellen wurden in bestimmten Verhältnissen gemischt und in vitro und im Xenograftmodell in vivo mit unterschiedlichen Cisplatinkonzentrationen behandelt. 5 bzw. 12 Tage später wurde der Anteil der grünfluoreszierenden MMR-defizienten Tumorzellen flowzytometrisch gemessen. Ebenso wurde immunhistochemisch anhand von Paraffinschnitten mit Ovarialkarzinomgewebe der Prozentsatz hMLH1-positiver Zellen bei den gleichen Patientinnen (N = 38) vor und nach mindestens 3 Zyklen platinhaltiger Chemotherapie bestimmt. *Ergebnisse:* Nach Cisplatintherapie wiesen die Tumorzellpopulationen in vitro und in vivo in Abhängigkeit von der Cisplatindosis bis 169% (IC90) mehr MMR-defiziente Zellen auf. Nach platinhaltiger Chemotherapie zeigten 25 (66%) der 38 gepaarten Gewebsproben eine Abnahme der hMLH1-Expression ($p = 0.0005$). *Schlussfolgerungen:* Eine Cisplatintherapie führt sowohl in vitro als auch in vivo zu einer dosisabhängigen Anreicherung von vorbestehenden MMR-defizienten Tumorzellen. Bereits 3 Zyklen einer platinhaltigen Chemotherapie führen zu einer deutlichen Abnahme der hMLH1-exprimierenden Zellen. Damit stützen unsere Resultate die Hypothese, dass Cisplatin zu einer Anreicherung von vorbestehenden MMR-defizienten und damit hypermutablen Zellen führt und, dass dies zur klinisch häufigen Resistenzentwicklung bei Ovarialkarzinomen beiträgt.

65

Immunhistochemische Analyse des 1,25-Dihydroxyvitamin-D3-Rezeptors in gynäkologischen Malignomen und neue Einsatzmöglichkeiten von Vitamin D-Analoga in der gynäkologischen Onkologie

M. Friedrich[1], *C. Villena-Heinsen*[1], *J. Reichrath*[2], *W. Tilgen*[2], *W. Schmidt*[1]

[1]Universitäts-Frauenklinik (Direktor: Prof. Dr. Dr. h.c. mult. W. Schmidt) und [2]Universitäts-Hautklinik (Direktor: Prof. Dr. W. Tilgen), D–66421-Homburg/Saar, Deutschland

Einleitung und Fragestellung: 1,25-Dihydroxyvitamin D_3 (Calcitriol), der biologisch aktive Vitamin D_3 Metabolit, wird durch konsekutive Hydroxylierung von Vitamin D in Leber (Position 25) und Niere (Position 1) gebildet. Seine genomische Wirkung übt Calcitriol über die Bindung an ein hochaffines, intranukleäres Rezeptorprotein aus, den 1,25-Dihydroxyvitamin-D_3-Rezeptor (VDR). Hierüber fördert Calcitriol Differenzierungs- und hemmt Proliferationsvorgänge. Im Rahmen dieser Studie sollen Zielorgane für eine mögliche Vitamin D-Analoga-Therapie mit geringer hyperkalzämischer Wirkung in der gynäkologischen Onkologie evaluiert werden. Desweiteren soll der Fragestellung nachgegangen werden, ob es Hinweise für eine autokrine Funktion der Mamma- bzw Zervixkarzinome im Rahmen des Vitamin D Systems gibt. *Material und Methodik:* Wir untersuchten die VDR-Expression immunhistochemisch (MAb 9A7) auf Proteinebene und mittels RT-PCR auf mRNA-Ebene in benignem und malignem Ovarial-, Mamma-, Endometrium- und Zervixgewebe und verglichen diese mit der Expression von ER, PR und Ki-67. Mittels RT-PCR bestimmten wir semiquantitativ die mRNA der 1α-Hydroxylase für 25-Hydroxyvitamin D3. *Ergebnisse:* Die VDR-Expression war in den Malignomen verglichen mit den entsprechenden benignen Gewebsproben signifikant ($p < 0{,}001$) vermehrt. Es bestand keine signifikante Korrelation zu der Expression von ER, PR und Ki-67. 1α-Hydroxylase-Aktivität für 25-Hydroxyvitamin D_3 war auf mRNA-Ebene in Mamma- und Zervixkarzinomen nachweisbar. *Schlussfolgerung:* (I) Ovarial-, Mamma-, Endometrium- als auch Zervixgewebe können mögliche Zielorgane für eine Vitamin D-Analoga-Therpie sein. (II) VDR sind in gynäkologischen Malignomen hochreguliert. (III) Diese Hochregulation scheint durch von epithelialer Differenzierung und Proliferation differenten, bisher unbekannten Mechanismen induziert zu sein. (IV) Neue Vitamin D-Analoga mit geringer kalzämischer Nebenwirkung stellen möglicherweise einen vielversprechenden Ansatz in der Therapie von gynäkologischen Malignomen dar. (V) Es gibt Hinweise für einen autokrinen Regulationsmechanismus bei der Vitamin D_3-Synthese in Mamma- und Zervixkarzinomen und somit für einen möglichen Einsatz von therapeutisch applizierten Vitamin D_3-Präkursoren.

66

Der Expressionsverlust der Adhäsionsmoleküle CD44, α_6-Integrin und E-Cadherin ist mit der Progression des primären Mammakarzinoms und der Tumordifferenzierung assoziiert

K. Friedrichs[1], F. Franke[2], B. Lisboa[1], H. Maass[1], U. Günthert[3], F. Hölzel[4], F. Jänicke[1]

[1] Universitäts-Frauenklinik, Martinistr. 52, 20246 Hamburg, Deutschland; [2] Zentrum für Pathologie, Justus-Liebig-Universität, Langhansstr. 10, 35392 Giessen; [3] Basel Institute for Immunology, Grenzacherstr. 487, CH–4005 Basel, Schweiz; [4] Institut für Physiologische Chemie der Universität Hamburg, Deutschland

Fragestellung: Normales duktales Mammaepithel weist eine weitgehend homogene Expression der Adhäsionsmoleküle CD44s, seiner varianten Isoformen CD44-6v und -9v sowie von α_6-Integrin und E-Cadherin auf. Die genomischen Veränderungen und Varianten der RNA- bzw. Proteinexpression der genannten Adhäsionsmoleküle wurden analysiert und mit dem histopathologischen Befund sowie dem Zeitintervall bis zum Eintreten einer Fernmetastasierung des primären Mammakarzinoms assoziiert. *Material und Methoden:* 194 primäre Mammakarzinome (Primäroperation zwischen 1987 und 1989) wurden in die Untersuchung eingeschlossen. Die Expression der CD44-Isoformen, von α_6-Integrin und E-Cadherin wurde mit Hilfe monoklonaler Antikörper immunhistochemisch und durch RT-PCR-Analysen evaluiert und mit etablierten Prognosefaktoren korreliert. Die CD44-Isoformen wurden darüber hinaus durchdifferenziert. *Ergebnisse:* Die Analyse der Adhäsionsmoleküle zeigte eine signifikante Korrelation mit der Tumordifferenzierung. Während die hochdifferenzierten Mammakarzinome (GI; n = 22) häufig ein unverändertes Expressionmuster (77,3% der Tumoren exprimierten alle untersuchten Adhäsionsmoleküle) aufwiesen, traf dieser Umstand nur für 44,5% der GII- und 19,1% der GIII-Tumoren zu. Die Expression des α_6-Integrins allein erwies sich in diesem Kollektiv als nicht relevant für den Verlauf der Mammakarzinomerkrankung. Die Expression von E-Cadherin war bei invasiv duktalen Mammakarzinomen positiv mit der histologischen Differenzierung korreliert. Demgegenüber wurde bei fast allen (17/19 = 89,5%) untersuchten invasiv-lobulären Mammakarzinome ein Expressionsverlust für E-Cadherin gefunden ($p < 0,01$). Mammakarzinome, die ein im Vergleich zum Normalgewebe unverändertes Expressionsmuster (4 bzw. 5 der untersuchten Adhäsionsmoleküle detektierbar) aufwiesen, zeigten ein medianes metastasenfreies Intervall von 87,6 Monaten. Mammatumoren, die noch 2 bzw. 3 der Adhäsionsmoleküle exprimierten, zeigten signifikant früher (nach 58,1 Monaten; $p < 0,05$) eine distante Metastasierung. In der ungünstigsten Subgruppe der nur eines oder keines der untersuchten Adhäsionsmoleküle aufweisenden Mammakarzinome waren nach 5 Jahren nur 39% der Patientinnen metastasenfrei. *Schlussfolgerung:* Der Differenzierungsgrad (Tumor-Grading) des Mammakarzinoms korreliert in der vorliegenden Untersuchung an 194 primären Mammakarzinomen mit der Prognose des Mammakarzinoms. Invasiv-lobuläre Mammakarzinome weisen fast regelhaft einen Expressionverlust für E-Cadherin auf. Ein Expressionsverlust der untersuchten Adhäsionsmoleküle ist signifikant mit dem medianen krankheitsfreien Intervall korreliert.

67

CA 125 – Ein Adhäsionsmolekül?

R. Gaetje, D.W. Winnekendonk, A. Scharl, M. Kaufmann

Universitäts-Frauenklinik, Theodor Stern-Kai 7, 60596 Frankfurt, Deutschland

Fragestellung: Frühere Arbeiten zeigten, dass die Invasivität der Endometriosezellinie EEC 145 in einem Kollagengelsystem durch ein hitzestabiles Protein in der Douglasflüssigkeit (DF) gesteigert wird. Die charakterisierten Eigenschaften dieses Proteins liessen vermuten, dass dieser Effekt durch CA 125 verursacht wird. *Methoden:* Durch Immunpräzipitation mit dem monoklonalen Antikörper OC 125 wird die CA 125 Konzentration der DF reduziert (Pool 1 von 1205 auf 44 U/ml, Pool 2 von 1076 auf 59 U/ml). Der Einfluss von 10% (v/v) hitzebehandelter DF, 10% (v/v) DF ohne CA 125 und CA 125 (1, 10, 50 und 100 U/ml) auf die Invasivität der Endometriosezellinie EEC 145 und verschiedener humaner Karzinomzellinien (Endometrium: HEC-1-A und AN3 CA; Zervix: HeLa; Ovar: SK-OV-3; Blase: EJ28; Mamma: MCF7) wurde im Kollagengelsystem untersucht. Der Einfluss von CA 125 auf das Adhäsionverhalten dieser Zellen wurde durch Beschichtung von Kulturschalen mit CA 125 untersucht. Nach einstündiger Inkubation in DMEM mit 10% FCS bei 37 °C wurde die Zahl adhärenter Zellen im Phasenkontrastmikroskop bestimmt. *Ergebnisse:* Durch Zusatz von 10% bei 95 °C hitzebehandelter DF steigt der Invasionsindex der Endometriosezellinie EEC 145 signifikant von 4,2 ± 1,3 auf 6,0 ± 1,7 ($p = 0,0013$). Dagegen hat der Zusatz von 10% DF ohne CA 125 keinen Einfluss auf den Invasionsindex (4,2 ± 1,3 vs. 4,2 ± 1,0). CA 125 führt zu einer dosisabhängigen Steigerung der Invasivität: 1 U/ml und 10 U/ml CA 125 haben keinen Einfluss; 50 U/ml CA 125 erhöhen die Invasivität leicht (4,7 ± 0,9 vs. 5,6 ± 1,0; $p = 0,03$); 100 U/ml CA 125 führen zu einer signifikanten Steigerung des Invasionsindexes von 4,7 ± 0,9 auf 6,2 ± 1,0 ($p < 0,001$). Weder die DF noch CA 125 haben einen Einfluss auf die Invasivität der untersuchten humanen Karzinomzellinien im Kollagengelsystem. CA 125 reduziert sowohl bei der Endometriosezellinie EEC 145 als auch bei allen untersuchten Karzinomzellinien statistisch signifikant die Adhäsion der Zellen in vitro je nach Zellinie auf 24% bis 64% der Kontrolle. *Schlussfolgerung:* Die vorliegende Arbeit gibt den ersten Hinweis auf eine physiologische Funktion von CA 125. Die Beeinflussung invasiver und adhäsiver Zelleigenschaften durch CA 125 könnte eine pathogenetische Rolle bei der Ausbreitung benigner und maligner Zellen haben.

68

Prädiktoren für den Befall axillärer Lymphknoten bei klinisch nodal-negativen «kleinen» Mammakarzinomen

B. Gerber, A. Krause, T. Reimer, H. Müller, K. Friese

Universitäts-Frauenklinik Rostock, Doberaner Str. 142, 18057 Rostock, Deutschland

Einführung und Fragestellung: Wenn zur Zeit bei kleinen Mammakarzinomen anstelle der konventionellen axillären Lymphonodektomie (ALN) nur noch die Exstirpation des sentinel lymph node diskutiert wird, stellt sich die Frage, ob es Tumorcharakteristika gibt, die eine Voraussage auf den Befall axillärer Lymphknoten (ALK) erlauben. *Material und Methode:* Im Zeitraum 1985–1995 wurden in der UFK Rostock 413 Patientinnen (Patn.) mit einem Mammakarzinom von 3–20 mm und klinisch unauffälligen ALK durch Brustoperation und ALN behandelt. 27 Patn. mit Tumoren <5 mm und nur ALK sampling (1–8 ALK) wurden ausgeschlossen. In einer retrospektiven Studie wurden potentielle prädiktive Faktoren (Alter, body mass index, Histopathologie, Tumorzellnachweis im Knochenmark, HER/2-neu, EGF, Cathepsin D, pS2, DNA-Index, p53, uPA, PAI, Ki-67) für den ALK-Befall univariat und multivariat analysiert. *Ergebnisse:* Die ALK waren bei Tumoren <10 mm in 7,2% (8/111), bei 11–15 mm in 26,7% (40/150) und bei 16–20 mm in 36,8% (46/125) befallen. Im Gesamtkollektiv waren steigende Tumorgrösse (p = 0,002), höheres Grading (p = 0,03), Tumorzellen im Knochenmark (p = 0,01), Lymph-/Blutgefässinvasion (p = 0,001) und aneuploide Tumoren mit einer S-Phase >10% (p = 0,03) mit einem Befall der ALK verbunden. Eine Gefässinvasion konnte in allen 3 Subgruppen (<10, 11–15, 16–20 mm) signifikant häufiger (p < 0,05) bei positiven ALK bestimmt werden. Weitere Parameter (Hormonrezeptorstatus, HER/2-neu, S-Phase und Ki-67) waren nur in einzelnen Subgruppen signifikant (p < 0,05) bedeutsam. In der multivariaten Analyse war das Risiko des Befalls ALK bei einer Tumorgrösse von 16–20 bzw. 11–15 mm gegenüber <10 mm um das 6,3fache (p = 0,0001) bzw. 4,5fache (p = 0,0003), bei Blutgefässinvasion um das 2,6fache (p = 0,009) und bei Lymphgefässinvasion um das 1,8fache (p = 0,03) erhöht. *Schlussfolgerungen:* Nicht palpable ALK sind kein Garant für deren Negativität. Das Risiko des Befalls ALK steigt mit zunehmender Tumorgrösse und der Gefässinvasion. Neuere Prognosefaktoren scheinen – zumindest bei Tumoren <20 mm – nicht mit dem ALK-Status zu korrelieren. Bei Patn. mit Tumoren <10 mm, nicht palpablen ALK und fehlender Gefässinvasion halten wir die ALN für nicht mehr indiziert.

69

Matrix Metalloproteinasen 1, 2 (MMP-1, MMP-2) und Tissue Inhibitor of Metalloproteinase 2 (TIMP-2) beim Zervixkarzinom Stadium Ib

G. Gitsch[1], P.L. Moser[3], L. Hefler[2], C. Tempfer[2], D. G. Kieback[1]

[1] Univ.-Frauenklinik Freiburg, Deutschland; [2] Univ.-Frauenklinik Wien und [3] Inst. Pathologie Universität Innsbruck, Österreich

Einführung: Matrix Metalloproteinasen sind zinkabhängige Metallo-Endopeptidasen, die an der Degradation von Kollagen und anderen extrazellulären Matrixmakromolekülen beteiligt sind. Die Expression von gelatinen MMPs wird mit verstärkter Tumorinvasion, Tumorangiogenese und Metastasenbildung in Verbindung gebracht. Das Ziel dieser Studie war es, die Expression von MMP-1, MMP-2 und TIMP-2 mit etablierten Prognosefaktoren sowie mit dem Überleben von Patientinnen mit Zervixkarzinom Stadium FIGO Ib zu korrelieren. *Material und Methode:* Formalinfixiertes und paraffineingebettetes Tumorgewebe von 154 operierten Patientinnen mit Zervixkarzinom Stadium FIGO Ib wurde immunhistochemisch untersucht. Die Expression wurde mit dem histologischen Typ, dem Differenzierungsgrad und dem Vorliegen von Lymphgefässeinbrüchen und Lymphknotenmetastasen korreliert. Der Einfluss der MMP-Expression auf das geschätzte Gesamtüberleben wurde ermittelt. *Ergebnisse:* MMP-1, MMP-2 und TIMP-2 konnten in 74% (113/154), 32% (49/154) und 80% (107/154) der untersuchten Schnitte nachgewiesen werden. Eine signifikante Korrelation bestand zwischen der Expression von MMP-1 und dem Vorhandensein von metastatisch veränderten Lymphknoten (p < 0,01). Weiters bestand ein signifikanter Zusammenhang zwischen der Expression von MMP-1 und dem Vorliegen von Lymphgefässeinbrüchen (p < 0,05). Die Expression von MMP-1 (p = 0,6), MMP-2 (p = 0,8) und TIMP-2 (p = 0,15) korrelierte nicht mit dem Überleben der Patienten. *Zusammenfassung:* Die immunhistochemisch nachgewiesene Expression von MMP-1 spielt eine Rolle in der Entwicklung von Lymphgefässeinbrüchen und der Entstehung von Lymphknotenmetastasen bei Patientinnen mit Zervixkarzinom.

70

HER-2/neu Genamplifikation mittels Fluoreszenz in-situ Hybridisierung ermöglicht Risikogruppenselektion beim nodalnegativen Mammakarzinom

N. Harbeck, S. Yurdseven, P. Dettmar[1], M. Pölcher, K. Ulm[2], J. Ross[3], M. Schmitt, H. Graeff

Frauenklinik und Poliklinik, [1] Institut für Pathologie und, [2] Institut für Medizinische Statistik der Technischen Universität, D–81675 München, Deutschland; [3] Department of Pathology and Laboratory Medicine, Albany Medical College, Albany, NY 12208, USA

Fragestellung: Bei Patientinnen mit nodalnegativem Mammakarzinom (n = 112) wurden HER-2/neu Genamplifikation (AMP) und HER-2/neu Proteinüberexpression (EXP) hinsichtlich ihrer prognostischen Bedeutung mit etablierten Prognosefaktoren und mit Faktoren der Tumorinvasion und Metastasierung (uPA, PAI-1) verglichen. *Material und Methoden:* Der HER-2/neu Status wurde an parallelen Paraffinschnitten bestimmt: HER-2/neu AMP mittels Fluoreszenz in-situ Hybrdisierung (FISH) unter Verwendung der «Oncor unique sequence HER-2/neu probe» (Oncor Inc, Gaithersburg, USA) und HER-2/neu EXP immunhistochemisch (IHC) mittels des monoklonalen Antikörpers Ab-3 (Oncogene Science, Cambridge, USA) und APAAP. Die Bestimmung von uPA und PAI-1 erfolgte in Tumorgewebeextrakten mittels ELISA (American Diagnostica, Greenwich, USA). Die mediane Nachbeobachtungszeit betrug 7 Jahre. *Ergebnisse:* In 31% der Fälle wurde HER-2/neu AMP mittels FISH nachgewiesen, in 41% HER-2/neu EXP mittels IHC. Univariat war HER-2/neu AMP für rezidivfreie (DFS) (p = 0,010) und Gesamt-Überlebenszeit (OS) (p = 0,001) von signifikanter Bedeutung, HER-2/neu EXP nur für OS signifikant (p = 0,042). Multivariat war HER-2/neu AMP sowohl für DFS (p = 0,017; RR 2,9) als auch für OS (p = 0,004; RR 4, 8) signifikant. Weder HER-2/neu EXP noch etablierte Prognosefaktoren (Tumorgrösse, Menopausenstatus, Grading, Hormonrezeptorstatus) waren multivariat signifikant. Durch Kombination von HER-2/neu AMP und uPA/PAI-1 konnten Patientinnen (n = 44) mit sehr niedrigem Rezidivrisiko (5% Rezidive innerhalb der Nachbeobachtungszeit) identifiziert werden. *Schlussfolgerung:* Die HER-2/neu Genamplifikation ermöglichte in unserem Kollektiv nodalnegativer Mammakarzinompatientinnen eine bessere Risikogruppenselektion als die HER-2/neu Proteinüberexpression. Neben der prognostischen Bedeutung deutet die signifikante Aussagekraft von HER-2/neu AMP für OS eine prädiktive Bedeutung hinsichtlich einer Resistenz gegen palliative systemische Therapiemassnahmen an.

71

Squamous Cell Carcinoma Antigen (SCC) Serumspiegel bei Patientinnen mit vulvärer intraepithelialer Neoplasie Grad III und invasivem Vulvakarzinom

L. Hefler[1], A. Obermair[1], C. Tempfer[2], G. Sliutz[1], S. Leodolter[1], A. Reinthaller[1], Ch. Kainz[1]

[1]Abteilung für Gynäkologie und Geburtshilfe, Universitätsklinik für Frauenheilkunde, Wien, Österreich; [2]Abteilung für Gynäkologie und Geburtshilfe, Baylor College of Medicine, Houston, Texas, USA

Einführung und Fragestellung: Das Squamous Cell Carcinoma Antigen (SCC) ist ein Serumtumormarker, der bei vielen Plattenepithelkarzinomen, z.B. beim Lungen-, Blasen- und Cervixkarzinom, untersucht wurde. Über die Bedeutung von SCC bei Patientinnen mit Vulvakarzinom ist noch wenig bekannt. Mit der vorliegenden Arbeit wollten wir die Bedeutung des SCC Serumspiegels als Prognosefaktor bei Patientinnen mit Vulvakarzinom klären. *Material und Methode:* Wir untersuchten die prätherapeutischen SCC Serumspiegel bei 55 Patientinnen mit Vulvakarzinom und bei 30 Patientinnen mit vulvärerer intraepithelialer Neoplasie (VIN) Grad III. Weiters untersuchten wir SCC Serumspiegel bei 50 gesunden Frauen. SCC Serumwerte wurden mittels microparticle enzyme immunoassay (IMx SCC MEIA, Abott Laboratories, Chicago, IL) untersucht. Die Resultate wurden mit klinischen Daten korreliert. *Ergebnisse:* SCC Serumspiegel bei gesunden Frauen, Patientinnen mit VIN III und Patientinnen mit invasivem Vulvakarzinom waren 0.5 (von 0.1 bis 3.8) ng/ml, 0.5 (von 0 bis 4.1) ng/ml, bzw. 1.6 (von 0.3 bis 65) ng/ml (Mann-Whitney U test, $p < 0.001$). Die 75% Quantile der SCC Serumspiegel wurde als cut-off Wert festgelegt. Erhöhte SCC Serumspiegel waren signifikant mit einem verkürzten rezidivfreien und Gesamtüberleben assoziiert (log-rank test, $p = 0.002$; bzw. $p < 0.001$). Ein multivariates Modell zeigte, dass SCC Serumspiegel unabhängig vom etablierten Prognosefaktor Tumorstadium ein Prognoseparameter für das rezidivfreie und Gesamtüberleben sind (multivariates Cox Regressionsmodell, $p = 0.03$; und $p = 0.048$). Prätherapeutische SCC Serumspiegel waren nicht mit Tumorstadium, histologischem Differenzierungsgard und Alter der Patientinnen korreliert. *Schlussfolgerung:* Prätherapeutische SCC Serumspiegel könnten als zusätzliche unabhängige Prognosefaktoren bei Patientinnen mit Vulvakarzinom dienen. Dies könnte etwaige adjuvante Therapiestratgien oder Nachsorgepläne beeinflussen.

72

German Preoperative Adriamycin-Docetaxel-Study (Gepardo) für das primär operable Mammakarzinom ($T_{<3\,cm}$, N_{0-2}, M0)

C. Jackisch[1], G. von Minckwitz[2], S.D. Costa[2], J. Hilfrich[3], J. Blohmer[4], E. Merkle[5], H. Eidtmann[6], E. Graf[8], G. Gademann[7], A.H. Tulusan[9], W. Eiermann[10], M. Kaufmann[2]

[1]Münster, [2]Frankfurt, [3]Hannover, [4]Berlin, [5]Stuttgart, [6]Kiel, [7]Magdeburg, [8]Freiburg, [9]Bayreuth, [10]München, Deutschland

Einführung: Zur Frage der präoperativen Chemotherapie in der Primärtherapie des Mammakarzinoms wurde in einer Phase-II Studie die Durchführbarkeit einer intervallverkürzten primären Chemotherapie, bestehend aus 4 Zyklen Adriamycin 50 mg/m^2 und Docetaxel 75 mg/m^2 q14d mit supportiver Gabe von G-CSF d_{3-10}, evaluiert. Neben einer sicheren Durchführbarkeit konnte ein klinisches Ansprechen in 93% beobachtet werden. *Fragestellung:* In einer multizentrischen prospektiv randomisierten Phase-III Studie (n = 200) wird dieses Protokoll derzeit unter Einsatz von ± Tamoxifen (30 mg), nach histologischer Diagnosesicherung (high-speed-Stanze), geprüft. Die Rate der pathologisch kompletten Remissionen (pCR) ist das primäre Studienziel. Sekundäre Endpunkte sind die klinische komplette Remission (cCR) und die Rate der brusterhaltenden Operationen sowie die Therapie-assoziierten hämatologischen und nicht-hämatologischen Toxizitäten. *Material und Methode:* Innerhalb von 7 Monaten wurden 111 Patienten eingeschlossen, von denen 97 Patienten bisher auswertbar sind (Kinik, Toxizität). Die Tumorgrösse wird klinisch und sonographisch sowohl vor Therapiebeginn als auch vor jedem Therapiezyklus bestimmt. Mammographie und MR-Mammographie können ebenfalls durchgeführt werden. *Ergebnisse:* Das mittlere Alter ist 50 Jahre (27–67 Jahre). Die mittlere klinische Tumorgrösse betrug 3,4 cm (7–10 cm), die mittlere sonographische Tumorgrösse wurde mit 4,0 cm (3–10 cm) bestimmt. Initial waren 52% der Patienten nodal positiv, der Steroidrezeptor war in 65% immunhistochemisch (Stanze) positiv. An NCIC-Toxizitäten (Grad III + IV) wurden bisher beobachtet: Fatigue (n = 10), hot flushes (n = 6), periphere Neuropathie (n = 4), Diarrhoe (n = 4), Übelkeit (n = 3), Obstipation (n = 3), Hautreaktionen (n = 3), Anämie (n = 2), Mukositis (n = 2), allergische Reaktion (n = 1) und eine Infektion. *Schlussfolgerung:* Bisher bestätigt sich das aus der Phase-II Studie bekannte Toxizitätsprofil. Die erste Auswertung zu den primären und sekundären Studienzielen ist für das 1. Quartal 1999 vorgesehen.

73

Kartierung von progressions-assoziierten Genregionen beim Ovarialkarzinom mit Hilfe der komparativen genomischen Hybridisierung (CGH)

M. Kiechle, U. Schwarz-Boeger, A. Jacobsen, J. Pfisterer, W. Jonat, N. Arnold

Universitäts-Frauenklinik Kiel, Deutschland

Fragestellung: Unserer CGH-Voruntersuchungen haben gezeigt, dass Ovarialkarzinome spezifische genetische Imbalancen aufweisen. Wir haben an einem grösseren Kollektiv von primären Ovarialkarzinomen untersucht, ob spezifische Genalterationen mit klinischen Parametern, wie histologischem Subtyp, Grading und FIGO Stadium-korreliert sind. *Methoden:* Insgesamt wurden genetische Imbalancen mit Hilfe der CGH an 84 primären Ovarialkarzinomen von 78 Patientinnen untersucht. Die CGH Ergebnisse wurden mit Grading, histologischem Typ und FIGO Stadium verglichen und statistisch (Kruskal-Wallis 1-Way Analysis of Variance, Duncans Test, Pearsons Chi-Quadrat-Test) berechnet. *Ergebnisse:* Die häufigsten Aberrationen waren Amplifikationen der Chromosomenarme 1q, 8q, 20q, 3q und 19p mit einer Inzidenz von 69–55% und Deletionen der Chromosomenarme 13q, 4q und 18q mit einer Inzidenz von 54–50%. Hochdifferenzierte Karzinome zeigten signifikant weniger Alterationen als entdifferenzierte Karzinome (p-Wert 0,007). 11p–, 13q–, 4q–, 11q+, 8p–, 20q+ and 1q+ traten signifikant häufiger in Grading 3 Tumoren auf (p-Werte 0,0003–0,041). 18q und 13q Deletionen zeigten eine signifikante Korrelation zu undifferenzierten histologischen Subtypen (p-Werte 0,047 und 0,040). In FIGO IV Karzinomen traten signifikant häufiger Deletionen der Chromosomenarme 4q, 12p, 12q, 18q und Amplifikationen der Chromosomenarme 8q, 11q 13q, 14q, 20q auf. *Schlussfolgerungen:* Diese Untersuchungen zeigen, dass Ovarialkarzinome spezifische genetische Alterationen zeigen. Die Korrelation bestimmter Aberrationen zu entdifferenzierten und fortgeschrittenen Karzinomen impliziert, dass hier Genregionen kartieren, die an der Tumorprogression beteiligt sind und einen aggressiven klinischen Phänotyp charakterisieren.

74

Erhöhte Detektionsrate DNA-aneuploider Tumoren bei gynäkologischen Malignomen durch Zytokeratinmarkierung. Prognostische Bedeutung der durchflusszytometrisch bestimmten DNA-Ploidie beim Ovarialkarzinom

R. Kimmig, T. Kapsner, P. Hillemanns, H. Landsmann, W. Meier, H. Hepp

Klinik und Poliklinik für Frauenheilkunde und Geburtshilfe (Direktor: Prof. Dr. H. Hepp), Klinikum Grosshadern, Ludwig-Maximilians-Universität München, Deutschland

Einführung und Fragestellung: Prognosefaktoren sind von Bedeutung für die Einschätzung des Krankheitsverlaufs und die richtige Therapiewahl bei Malignomen. Die Überlagerung der aus malignen Tumoren isolierten Zellpopulationen ist eine relevante Fehlerquelle bei der durchflusszytometrischen DNA-Analyse. Wir prüften daher, ob die Zytokeratinmarkierung eine Optimierung der Detektion DNA-aneuploider Subpopulationen und konsekutiv der Prognoseeinschätzung erreicht. *Material und Methode:* 620 maligne Tumoren der Mamma (n = 327), des Ovars (n = 129) und des Uterus (n = 144) wurden dissoziiert und durchflusszytometrisch auf Zytokeratinexpression (FITC-mAb) und DNA-Verteilung (Propidiumiodid) analysiert. Die klassischen Prognoseparameter und die Krankheitsverläufe aller Patientinnen wurden im Rahmen einer prospektiven Analyse erfasst. Die Auswertung aller Parameter erfolgte univariat (Kaplan-Meier) sowie multivariat (Cox Regression). *Ergebnisse:* Für alle Tumorentitäten fand sich in den Zytokeratin-positiven Zellpopulationen eine im Vergleich zum Gesamtkollektiv höhere Detektionsrate für DNA-aneuploide Subpopulationen von 10% beim Ovarial-, 16% beim Mamma-, 20% beim Zervix- und 23% beim Endometriumkarzinom. Die DNA-Ploidie zeigte beim Ovarialkarzinom univariat eine signifikante prognostische Bedeutung bezüglich des rezidivfreien Überlebens (p = 0,01). Im Stadium III war für das Gesamtüberleben die DNA-Ploidie in der multivariaten Analyse (RR = 4,4; p = 0,007) sogar der bedeutendste Prognoseparameter vor dem Tumortest (RR = 1,5; p = 0,08). *Schlussfolgerungen:* Die Zytokeratinmarkierung ist eine effektive Methode zur Anreichung von Tumorzellen gynäkologischer Karzinome für die durchflusszytometrische Analyse. Die Detektion DNA-aneuploider Subpopulationen kann im Mittel um 15–20% gesteigert werden. Die DNA-Ploidie besitzt beim Ovarialkarzinom unabhängige prognostische Bedeutung und sollte als Parameter zur Einschätzung der Tumorbiologie Eingang in die Therapiestudien beim Ovarialkarzinom finden.

75

Prädiktiver Wert von ErbB2 für das CMF-Therapieansprechen bei Mammakarzinom-Patientinnen

O.R. Köchli[1,2], H. Müller[2], G. Perewusnyk[1], M. Fehr[1], S. Droese[1], U. Eppenberger[2]

[1] Departement Frauenheilkunde, Universitätsspital Zürich und [2] Universitäts-Frauenklinik Basel, Schweiz

Einführung: Der prädiktive Wert für das Onkogen-Produkt ErbB2 für die Chemosensibilität von Mammakarzinomen ist unklar. Aus diesem Grunde korrelierten wir die in-vitro-Chemosensibilität, bestimmt mit dem ATP-Chemosensitivitätstest (Köchli et al. 1994, Contrib. Gynecol. Obstet. 19; 108–121), mit der ErbB2-Expression. *Material:* 156 Patientinen mit primären Mammakarzinomen wurden in die Studie eingeschlossen. Der ATP-Chemosensibilitätstest und die ErbB2-Analyse wurde aus dem gleichen Tumorstück bestimmt. Das Durchschnittsalter der Patientinnen war 60 Jahre (20–94). 26% waren prämenopausal, 34% waren ErbB2-positiv. *Resultate:* Der durchschnittliche ErbB2-Wert lag bei positiven Tumoren bei 388 ± 254 U/mg und derjenige für negative Tumoren lag bei 65 ± 36 U/mg. Wir konnten keine signifikanten Unterschiede in der Chemosensibilität dieser 2 Gruppen finden (p = 0,6). Dies galt für eine normal dosierte Chemotherapie wie auch für eine hochdosierte invitro-Chemotherapie. *Schlussfolgerung:* Bei Chemotherapie-naiven Mammakarzinomen, konnten wir keine signifikanten Assoziationen zwischen der in-vitro-CMF-Chemosensibilität und dem ErbB2-Wert finden. Der ErbB2-Wert scheint für die CMF-Chemosensibilität nicht prädiktiv. Weitere Untersuchungen müssen jedoch den prädiktiven Wert von ErbB2 für eine Tamoxifengabe untersuchen.

76

Multipe Drug Effect Analyse von rhuMAb4D5 (Herceptin®) und verschiedenen Zytostatikaklassen an c-erbB-2 überexprimierenden Mammakarzinomzellen in vitro

G. Konecny, M. Pegram, M. Untch[1], H. Hepp[1], D. Slamon

Division of Hematology-Oncology, University of California, Los Angeles, Calif., USA; [1] Frauenklinik Grosshadern der Ludwig-Maximilians-Universität München, Deutschland

Einführung: Der humanisierte c-erbB-2 Antikörper (rhuMAb4D5) zeigt eine antiproliferative Aktivität beim Mammakarzinom mit c-erbB-2 Überexpression. Eine Steigerung der therapeutischen Wirksamkeit lässt sich durch die Kombination mit Zytostatika wie Paclitaxel oder Doxorubicin erreichen. *Fragestellung:* Ziel dieser in vitro Untersuchungen ist es, Kombinationen mit synergistischen Wirkungsbeziehungen zu finden. *Methode:* Hierzu werden SKBR-3 c-erbB-2 überexprimierende Mammakarzinomzellen in vitro ± rhuMAb4D5 mit Vertretern verschiedener Zytostatika-Substanzklassen, z.B. Cisplatin, Doxorubicin, Paclitaxel, Thiotepa, Vinblastin und Methotrexat behandelt. Die Dosisantwortkurven werden nach Chou mittels «multiple drug effect» Analyse computergestützt bezüglich Synergismus, additivem Effekt und antagonistischer Wirkung ausgewertet. *Ergebnisse:* Bisher haben sich synergistisch Interaktionen für rhuMAb4D5 mit dem DNA schädigenden Platinanalogon Cisplatin und dem Alkylanz Thiotepa ergeben. Additive Effekte konnten für Doxorubicin, Paclitaxel, Methotrexat und Vinblastin nachgewiesen werden. Weitere Untersuchungen erfolgen mit Epirubicin, liposomalen Doxorubicin, Carboplatin und Docetaxel. *Schlussfolgerungen:* Die synergistischen Wirkungsbeziehungen von Platinanaloga und Alkylanzien mit dem c-erB-2 Antikörper (rhuMAb4D5) in vitro sind möglicherweise auf eine Blockierung zytostatikainduzierter DNA-Reparaturmechanismen durch Antikörper zurückzuführen. Ein Einsatz dieser Substanzklassen in klinischen Studien erscheint sinnvoll.

77

Gentherapie des Ovarialkarzinoms mit adenoviral vermitteltem p53 in präklinischer und klinischer Prüfung

I.B. Runnebaum, T. Hawighorst, S. Regele, K. Maidel, V.J. Möbus, R. Kreienberg, SPRI Ovarian Cancer Clinical Study Group

Universitätsfrauenklinik Ulm, Deutschland; Schering-Plough Research Institute, Kenilworth, N.J., USA

Einführung: In >50% der Ovarialkarzinome (OVCA) treten inaktivierende Mutationen im p53-Gen auf. *Fragestellung:* Kooperiert p53-Gentherapie mit konventioneller Chemotherapie? Ist die klinische Anwendung der Gentherapie in einer deutschen Frauenklinik derzeit durchführbar? Ist der klinische, adenovirale, intraperitoneale (IP) p53-Gentransfer möglich und sicher? *Methode:* (1) OVCA-Zellinien mit p53-Mutationen und IP Xenotransplantate in Nacktmäusen wurden mit Adenovirus-Wildtyp-p53 (ACNp53) infiziert. Genexpression wurde mittels RT-PCR, Apoptose mittels TUNEL-Assay und Kooperation von ACNp53 mit Chemotherapie im MTT untersucht. Auswertung des Tierversuchs durch Tumormessung. (2) Klinische Phase I-Prüfung in Ulm (seit 8/1997), Iowa City und Los Angeles hinsichtlich Toxizität und Gentransfer: Transfer des Wildtyp p53-Gens IP mittels ACNp53 in eskalierenden Dosen in Kombination mit Chemotherapie. *Ergebnisse:* (1) ACNp53 hemmte dosisabhängig die Proliferation von OVCA-Zellen und zeigte einen kooperativen Effekt mit Zytostatika. (2) In der klinischen Studie erhielten 43 Patientinnen mit OVCA-Rezidiv in eskalierenden Dosen IP ACNp53 allein (144 Instillationen) oder in Kombination mit Chemotherapie (166 Instillationen). Als Zytostatika kamen IP Cisplatin, intravenös (IV) Taxol/Carboplatin, IV Topotecan und IV Doxil zur Anwendung. Virusmengen von einmalig $7{,}5 \times 10^{10}$ Partikeln bis $7{,}5 \times 10^{13}$ Partikel/Tag $\times$ 5 Tage für 3 Zyklen wurden verabreicht. Nebenwirkungen wie Anämie, Fieber und abdominale Beschwerden mit Schmerzen, Übelkeit und Erbrechen wurden beobachtet. Gentransfer konnte nach ein- und mehrmaligen Instillationen nachgewiesen werden. CA125-Ansprechen wurde in 38 von 72 (53%) evaluierbaren Zyklen festgestellt. *Schlussfolgerung:* (1) p53-Gentransfer in OVCA-Zellen mit p53-Mutation führt dosisabhängig zu Apoptose und kooperiert mit Zytostatika. (2) Klinische Gentherapie ist nach Erfüllen bestimmter Rechtsvorschriften auch an einer deutschen Frauenklinik durchführbar. Die Therapie wurde überwiegend gut toleriert, war sicher und stellte die Expression des normalen p53 wieder her. Aufgrund ermutigender Daten – auch hinsichtlich des Tumoransprechens – wird nun eine randomisierte klinische Prüfung organisiert.

78

Das objektive Grading beim nodalnegativen Mammakarzinom mit Hilfe der Bildanalyse erlaubt die Definition eines Hochrisikokollektivs mit hoher Sensitivität und Spezifität.

P. Kristen[1], J.G. Müller[2], R. Albert [3], H. Harms [3], H. Caffier[1], J. Dietl[1]

[1]Frauenklinik, [2]Pathologisches Institut und [3]Labor für Bildanalyse am Virologischen Institut der Univ. Würzburg, Deutschland

Die Problematik der adjuvanten Therapieentscheidung beim nodalnegativen Mammakarzinom ist hinlänglich bekannt. In diesem Zusammenhang wurde die neue Technik einer automatisierten Bildanalyse zur Ermittlung des prozentualen Anteils von sog. Hochrisikozellkernen (% HRTuCN) im Sinne eines objektiven Gradings am Paraffinmaterial auf ihre prognostische Aussage untersucht. *Methodik:* An einem Kollektiv von 204 nodalnegativen Mammakarzinomen mit einem medianen Follow-up von 103 Monaten wurde diese neue Technik durchgeführt und mit etablierten und neuen Prognosefaktoren verglichen (Tu-Grösse, Grading, Rezeptoren, Wachstumsmuster, Ploidie, Proliferation, p53). *Ergebnisse:* In der univariaten und multivariaten Analyse zeigte sich ein starker statistischer Einfluss der % HRTuCN auf das krankheitsfreie Intervall. Dieser neue Parameter konnte im untersuchten retrospektiven Kollektiv mit hoher Sensitivität (93%) und Spezifität (77%) die Patientinnen evaluieren, die im weiteren Verlauf ihrer Erkrankung an einem Rezidiv erkrankten.

79

Modulation der proteolytischen Aktivität und Invasion von Tumorzellen durch Kombination von Aprotinin und Batimastat

A. Krüger, P. Della Porta, R. Soeltl, H.-W. Krell[1], K. Collins[2], M. O'Donoghue[2], M. Schmitt

Klinische Forschergruppe der Frauenklinik, TU München, D–81675 München; [1]R&D Biotech., Roche Diagnostics, Boehringer Mannheim GmbH, D–82372 Penzberg, Deutschland; [2]Dept. of Microbiology, National University of Ireland, Cork, Ireland

Einleitung: Matrix-Metalloproteinasen (MMPs) und Serinproteinasen des Plasminogenaktivator-(PA) Systems werden eine bedeutende Rolle bei der Tumorzellinvasion zugeschrieben. Wir untersuchten die Auswirkungen des MMP-Inhibitors Batimastat und des Serinproteinase-Inhibitors Aprotinin, jeweils einzeln und in Kombination, auf die proteolytische Aktivität intakter Tumorzellen in vitro und Tumorzellinvasion in vivo. *Material und Methode:* Oesophagus- und Ovarialkarzinomzellinien wurden mit Aprotinin oder Batimastat bzw. mit beiden Inhibitoren gleichzeitig inkubiert und die proteolytische Aktivität intakter Tumorzellen in Casein- und Collagen Typ IV-Degradationstests in vitro gemessen. Nacktmäuse wurden mit Tumorzellen intraperitoneal inokuliert und mit den Inhibitoren behandelt. *Ergebnisse:* Aprotinin inhibierte in vitro allein oder in Kombination mit Batimastat effizient die Tumorzell-assoziierte Degradation sowohl des MMP-Substrates Collagen Typ IV als auch des Plasmin-Substrats Casein. Batimastat allein hatte keinen Effekt auf die caseinolytische Aktivität und blockierte die Degradation von Collagen Typ IV durch die Tumorzellen nicht vollständig. Aprotinin verhinderte in vivo weder allein noch in Kombination mit Batimastat die Tumorzellinvasion in die Leber. Die Behandlung tumortragender Mäuse mit Batimastat verhinderte zwar das Tumorwachstum im Peritoneum, steigerte aber die Tumorzellinvasion in die Leber. *Schlussfolgerungen:* Aprotinin inhibiert die Degradation von Collagen Typ IV durch Karzinomzellen effizienter als Batimastat. Dies bedeutet, dass die MMP-Aktivität lebender Tumorzellen von Serinproteinasen kontrolliert wird, und/oder dass sie direkt für die Degradation von Collagen Typ IV verantwortlich sind. Unsere Befunde zeigen, dass weitere in vivo-Untersuchungen notwendig sind, um zur Tumorzellinvasion beitragende Komponenten und ihre Interaktionen zu verstehen.

80

Ein ex vivo Modell zur Charakterisierung von Dosis-Wirkungs-Beziehungen bei klinischen Ovarialkarzinomen

C.M. Kurbacher, U. Brenne, H. Kolhagen, P. Mallmann
Klinik und Poliklinik für Frauenheilkunde und Geburtshilfe der Universität zu Köln, Kerpener Strasse 34, D–50931 Köln, Deutschland

Fragestellung: Das epitheliale Ovarialkarzinom (EOC) – Primärfälle und Spätrezidive – wird heutzutage als mögliche Indikation für eine Hochdosis-Chemotherapie gesehen. Die Dosis-Wirkungs-Beziehungen (DWB) der meisten bei der HDC eingesetzten Zytostatika sind für klinische Tumoren jedoch nur unzureichend bekannt. Mit einem neu entwickelten ex vivo Modell basierend auf dem ATP-Tumorchemosensitivitäts-Assay (ATP-TCA) wurden daher die DWB etablierter Zytostatika bei nativen EOC analysiert. *Methoden:* An 130 primären und 80 Platin-sensitiven rekurrenten EOC wurden im ATP-TCA insgesamt 1424 Testungen mit Cisplatin (DDP), Carboplatin (CBDCA), 4-OOH-Cyclophosphamid (4-HC), Treosulfan (TREO), Doxorubicin (DOX), Mitoxantron (MX), Etoposid (VP-16), Paclitaxel (PTX), Cytarabin (ara-C) und Gemcitabin (dFdC) durchgeführt. Ausgehend von der jeweiligen Plasmaspitzenkonzentration (C_{max}) wurden pro Substanz 6 verschiedene therapeutische und supratherapeutische Konzentrationen untersucht (0,0625 $\times$ C_{max} bis 2 $\times$ C_{max}). Die kumulativen IC_{90}- und IC_{50}-Dosis-Wirkungs-Kurven (DWK) wurden durch nicht-lineare Regression ermittelt. *Ergebnisse:* Nur für 4-HC und PTX konnte bei der Mehrzahl unter Verwendung von Maximalkonzentrationen eine Tumorzellinhibition von >90% ermittelt werden. Sowohl auf dem IC_{50}- als auch auf dem IC_{90}-Niveau waren die meisten DWK nicht-linear, jenseits von C_{max} ergaben sich teilweise ausgeprägte Plateaus. Bei nur geringen Unterschieden zwischen primären EOC und Platin-sensitiven Rezidiven zeigten Platinanaloga, MX und PTX die günstigsten IC_{50}-DWK bei tendenziell steileren DWB unterhalb von C_{max} für die Rezidive. *Schlussfolgerung:* Platinanaloga, 4-HC, MX und PTX scheinen a priori für eine Dosisintensivierung beim EOC am besten geeignet zu sein. Der Sinn einer extremen Dosiseskalation muss aufgrund der mitgeteilten Daten jedoch kritisch hinterfragt werden. Unser ex vivo Modell könnte dazu beitragen, Zytostatika in optimierter statt in maximaler Dosierung zu applizieren, und so ein verbessertes Design dosisintensivierter Therapien bei soliden Tumoren zu ermöglichen.

81

Analyse des Signaltransduktionsproteins Rac1 beim Mammakarzinom – Identifizierung einer neuen Rac1-Isoform (Rac1ins)

E. Lengyel[1], A. Schnelzer[1], D. Prechtel[2], U.G. Knaus[3], G.M. Bokoch[3], N. Harbeck[1], M. Schmitt[1] und H. Graeff[1]
[1]Frauenklinik und Poliklinik, [2]Institut für Pathologie der Technischen Universität München, D–81675 München, Deutschland; [3]The Scripps Resarch Institute, La Jolla, CA 92037, USA

Einführung: Rac1 ist ein G-Protein, das zur Ras-Familie gehört und Signale von der Zellaussenwand in das Zellinnere vermittelt. Es ist nach Bindung von GTP aktiv und reguliert Proteine, die am Umbau des Zytoskeletts beteiligt sind. Überexprimiert man in Zellkulturuntersuchungen mutiertes Rac1, ist es konstitutiv aktiv und führt zur malignen Transformation von Epithelzellen. Die Fragestellung war daher, inwieweit Rac1 im humanen Tumorgewebe mutiert und an der malignen Transformation beteiligt ist. *Methode:* 7 benigne und 10 maligne Mammagewebe (je 5 mit guter bzw. schlechter Prognose) wurden untersucht. Die Mutationsanalyse erfolgte nach RNA-Extraktion, reverser Transkription, genspezifischer PCR und Subklonierung durch Sequenzierung des Rac1-Gens (6 Klone/Gewebe). Rac1 wurde in allen Geweben durch Western-, Northern-, Southern-Blot und immunhistochemisch nachgewiesen. *Ergebnisse:* Die Sequenzierung des Rac1-Gens ergab 22 einzelne Mutationen, die aber nur in jeweils einem Subklon vorkamen. Mutationen kamen in benignen und malignen Geweben vor und entsprechen wahrscheinlich Polymorphismen des Rac1-Gens. Daneben wurde in 5 Geweben in mehreren Klonen ein Rac1 identifiziert, das ein 19 Aminosäuren langes «insert» in der Nähe der «switch II»-Region aufweist ($Rac1^{ins}$). Die biochemische Charakterisierung mit Hilfe von Aktivitätsuntersuchungen zeigte, dass es GTP bindet und sich wie eine Rho-GTPase verhält. Western Blot-Untersuchungen ergaben, dass Rac1 im malignen Gewebe deutlich höher exprimiert ist als im benignen Gewebe, was sich auch immunhistochemisch bestätigte. Eine Überexpression von Rac1 zeigte sich auch in proliferierendem benignen Gewebe (Papillomatose). Im Northern Blot bestätigte sich, dass Rac1 im malignen Gewebe auf RNA Ebene überexprimiert ist. Es zeigte sich jedoch keine Korrelation der Rac1-Expression mit der Prognose der untersuchten Karzinome. *Schlussfolgerung:* Wir haben eine neue Rac1-Isoform, $Rac1^{ins}$, kloniert, die ebenfalls wie Rac1 eine GTPase ist und nach Bindung von GTP aktiviert wird. Die Rho-GTPase Rac1 ist in malignem Mammagewebe auf RNA- und Proteinebene signifikant überexprimiert.

82

Adjuvante Therapie von Mammakarzinom-Patientinnen (Pat.) mit 10 und mehr befallenen Lymphknoten (LK) mit einer sequentiellen intensivierten Chemotherapie (Epirubicin (E)-Paclitaxel (T)-Cyclophosphamid (C) + GCSF)

H.-J. Lück, U.Scholz, C. Langer-Nitsche, K.U. Petry, M. Glaubitz, H. Kühnle
Frauenklinik der MH Hannover, im Krankenhaus Oststadt, Podbielskistrasse 380, 30659 Hannover, Deutschland

Einleitung: Adjuvante intensivierte sequentielle Therapieregimes zeigen exzellente Überlebensdaten bei Pat. mit 4–9 befallenen LK's (Riccio L et al). Nach einer sequentiellen Therapie, bestehend aus Doxorubicin (90 mg/m² q14d × 3), T (250 mg/m² q14d × 3) und C (3 g/m² q14d × 3) betrug die 3 Jahres-Überlebensrate 80%. *Patienten und Dosierung:* In dieser Phase II Studie wurden insgesamt 27 Pat. mit ≥ 10 befallenen LK's in 2 Kohorten behandelt. 15 Pat. erhielten E 120 mg/m² q14d × 3, gefolgt von T 200 mg/m² q14d × 3, und C 2 g/m² q14d × 3. G-CSF (5 µg/kg) wurde von Tag 3 bis 12 sc appliziert. In der zweiten Kohorte betrugen die Dosen für E 150 mg/m², für T 50 mg/m², und für C 2 g/m². E und C wurde als 1 h-Infusion gegeben. T als 3 h-Infusion nach üblicher Prämedikation. Das mediane Alter in beiden Kohorten war 48 Jahre (26 J. bis 67 J.). Die mediane follow up Zeit beträgt 53 Wochen (28–92). Die mediane Anzahl der befallenen LK's war 13. Die mediane Anzahl der entfernten LK's betrug 22. *Ergebnisse: Hämatotoxizität* CTC-NCI Grad III/IV: Leukopenie: 8 Pat. (30%); Thrombopenie 5 Pat. (19%); Anämie: 3 Pat. (11%). Keine Pat. mit neutropenischem Fieber. *Nicht-hämatologische Toxizität* Grad II: Alopezie: 27 (100%); Stomatitis: 2 Pat.; Nausea/Emesis Grad III: 1 Pat.; PNP Grad II: 6 Pat. (22%). Es wurden keine klinisch relevanten Cardiotoxizitäten beobachtet. Die LVEF wurde zu Beginn und nach Abschluss der Therapie bestimmt. Bisher haben zwei Pat. ein Rezidiv entwickelt. Eine Pat. entwickelte nach einem Jahr eine pulmonale und ossäre Filiarisierung und ist zwischenzeitlich verstorben. Die andere Pat. entwickelte eine singuläre Lebermetastase nach 6 Mon. und ist jetzt nach weiteren 5 Mon. unter Tamoxifen ohne Progress.

83

Tumorbiologische Charakterisierung von Borderline-Tumoren des Ovars

H. Meden, D. Marx, A. Meidel, S. Schäfer, L. Füszesi, K.F. Bürrig[1]*, A. Schauer, W. Kuhn, G. Emons*

Frauenklinik und Pathologisches Institut der Universität Göttingen; [1] Institut für Pathologie, Städtisches Krankenhaus Hildesheim, Deutschland

Borderline-Tumoren des Ovars (LMP) sind bisher unzureichend charakterisiert. *Fragestellung:* Wir prüften, inwieweit sich tumorbiologische Parameter, mit denen invasive Ovarialkarzinome charakterisiert werden können, auch bei Borderline-Tumoren des Ovars nachweisbar sind. Darüber hinaus wurde eine mögliche prognostische Relevanz dieser Parameter analysiert. *Methode:* Basierend auf dem Tumorgewebe von 107 Pat., die wegen eines ovariellen Borderline-Tumors operativ behandelt wurden, erfolgte die Analyse folgender Parameter: EGF-R, c-erbB-2 (HER2/neu), p53, mib-1 (Ki-67), Bax, bcl-2 und ras. Des weiteren erfolgte die Bestimmung der Ploidie. *Ergebnisse:* Alle genannten tumorbiologischen Faktoren liessen sich – in unterschiedlicher Häufigkeit – nachweisen. EGF-R: 23%, p185 (HER2): 20%, p53: 8%, mib-1 (Ki-67) (>10% der Tumorzellen positiv): 51%, Bax: 34%, Bcl-2: 33%, ras: 8%. 18% der unilateralen und 26% der bilateralen Borderline-Tumoren waren aneuploid. Bei einer medianen Nachbeobachtungszeit von 31 Monaten (Bereich: 1–140 Mon.) ergab sich kein Hinweis auf eine prognostische Bedeutung der einzelnen Parameter. Der Vergleich mit zusätzlichen 34 Fällen von Ovarialkarzinomen im Stadium I (FIGO) ergab ein ähnliches Profil der tumorbiologischen Faktoren. *Schlussfolgerungen::* Die vorliegenden Daten zeigen, dass EGF-R, p185 (HER2), p53, mib-1 (Ki-67), Bax, Bcl-2 und ras im Vergleich zu den Verhältnissen bei invasiven Ovarialkarzinomen auch bei Borderline-Tumoren in annähernd gleicher Häufigkeit nachweisbar sind. Dies erlaubt den Schluss, dass die genannten tumorbiologischen Parameter einen frühen Zeitpunkt in der Tumorgenese des Ovarialkarzinoms reflektieren. Die geringe prozentuale Häufigkeit p53-positiver Fälle deutet möglicherweise darauf hin, dass es sich um ein Ereignis in einer Mehrschrittkarzinogenese handelt. Inwieweit sich hieraus auch eine prognostische Bedeutung ergibt, muss durch weitere Untersuchungen an einer grösseren Anzahl von Patientinnen und längerer Nachbeobachtungszeit analysiert werden.

84

Nachweis von konstitutiven und induzierten Stickstoff-Monoxid-Synthasen in benignen und malignen Brustläsionen

G. von Minckwitz[1]*, S. Loibl*[1]*, H.P. Sinn*[3]*, S. Weber*[1]*, S. Schini-Kerth*[2]*, B. Fichtlscherer*[2]*, M. Kaufmann*[1]

[1] Klinik für Gynäkologie und Geburtshilfe und [2] Zentrum der Physiologie, Goethe-Universität Frankfurt, [3] Pathologie, Universität Heidelberg, Deutschland

Einleitung und Fragestellung: NO-Synthasen (NOS) katalysieren die Bildung von Stickstoff-Monoxid (NO), was die Proliferation von endothelialen Zellen induziert und eine Neoangiogenese fördert. In höheren Konzentrationen hat NO eine zytostatische und zytotoxische Wirkung. Dinitrosyl-Eisen-Komplex (DNK) stellt eine Art NO-Speicher und die Gewebekonzentration erlaubt eine Aussage über die NOS-Aktivität. Wir untersuchten die Expression von NOS in verschiedenen Brustläsionen und korrelierten diese mit herkömmlichen Prognosefaktoren. *Material und Methode:* Paraffin-eingebettetes Gewebe von 41 benignen, 7 in situ und 54 invasiven primären Brustläsionen wurden immunhistochemisch mit einem monoklonalen Antikörper (Ab) gegen konstitutive (c) und mit einem polyklonalen Ab gegen induzierbare (i) NOS untersucht. Die Funktionalität der NOS wurde mittels Elektrospinresonsanz (ESR)-Spektroskopie von frischem Tumorgewebe und DNK überprüft. Hormonrezeptoren, CD31 (zur Gefässdichtebestimmung) wurden ausserdem immunhistochemisch und die DNA-Ploidie und S-Phasenfraktion flowzytometrisch bestimmt. *Ergebnisse:* cNOS wurde nur in 5% und iNOS nie in benignen Läsionen expremiert. In in situ und malignem Gewebe lag die Nachweisrate zwischen 57 und 73%. An 3 frisch asservierten Karzinomen konnte ein axialsymmetrisches ESR-Spektrum zu DNK nachgewiesen und eine Konzentration von DNK von 50 nM errechnet werden. Immunhistochemisch bestand bei den invasiven Karzinomen eine sehr hohe Korrelation zwischen c- und iNOS. NOS positive Karzinome finden sich häufiger bei jüngeren Frauen, bei duktal-invasiven Karzinomen, bei gut bis mittel differenzierten Tumoren, bei niedriger S-phase und bei einer geringeren Gefässdichte. Kein Zusammenhang bestand zur Tumorgrösse, dem Rezeptorstatus und der DNA-Ploidie. *Schlussfolgerung:* Eine Expression funktioneller NOS findet sich vor allem in in situ-Karzinomen und bei invasiven Mammakarzinomen mit günstigen Zusatzkriterien.

85

Wirkungsmechanismen steroidaler und nichtsteroidaler Antiöstrogene

V. Müller, C. Knabbe[1]*, F. Jänicke*

Frauenklinik und Poliklinik, [1] Abteilung für Klinische Chemie; Universitätskrankenhaus Hamburg-Eppendorf, Deutschland

Fragestellung: Da viele Aspekte des Wirkungsmechanismus des nichtsteroidalen Antiöstrogens Tamoxifen und neuentwickelter steroidaler Antiöstrogene noch ungeklärt sind, wurde die Kaskade der Wirkungsentfaltung verschiedener Antiöstrogene untersucht. *Methode:* Um die Bedeutung der C-terminalen Domäne F des Rezeptors für die Transkriptionsaktivität zu untersuchen, wurde ein östrogenabhängiges Reportersystem verwendet. Wachstumshemmung und Beeinflussung der Sekretion von Wachstumsfaktoren wurden an Mammakarzinomzellinien auch im Hinblick auf eine kombinierte Anwendung steroidaler und nichtsteroidaler Antiöstrogene und mögliche synergistische Effekte beider Substanzklassen untersucht. *Ergebnisse:* In CHO-Zellen mit einem C-Terminal-verkürzten Rezeptor zeigt sich eine stärkere Hemmung der Östradiol-induzierten Transkription als in Zellen mit dem Wildtyprezeptor. Sowohl steroidale als auch nichtsteroidale Antiöstrogene bewirken eine verstärkte Sekretion von TGFβ 2-Protein durch MCF 7 Mammakarzinomzellen, und TGFβ 2 spielt eine Rolle für die Vermittlung der Wachstumshemmung durch beide Gruppen von Antiöstrogenen. Die Anwendung steroidaler Antiöstrogene gemeinsam mit Tamoxifen führt zu einer Wirkungsabschwächung der steroidalen Substanzen. *Schlussfolgerung:* Es konnte zum ersten Mal eine Funktion der Region F des Östrogenrezeptors für die Transkriptionshemmung durch Antiöstrogene demonstriert werden. TGFβ 2 erscheint auch für das Monitoring einer endokrinen Therapie mit steroidalen Antiöstrogenen geeignet. Die vorgelegten Ergebnisse lassen keine Vorteile einer kombinierten Anwendung steroidaler und nichtsteroidaler Antiöstrogene bei Patientinnen erwarten.

86

Hochauflösende Mammasonographie als Screeningmethode?

R. Ohlinger[1], *J. Heinrich*[2], *W. Straube*[1]

[1]Universitätsfrauenklinik Greifswald, E.M. Arndt Universität Greifswald; Wollweberstr. 1, 17487 Greifswald, [2]Frauenklinik Stralsund, Klinikum der Hansestadt Stralsund, Grosse Parower Strasse 47–53, 18435 Stralsund, Deutschland

Problemstellung: Die hochauflösende US-Technik ermöglicht heute bereits die Erkennung subklinischer Mammakarzinome. Bisher gibt es aber keine kontrollierten Screeningstudien, in denen der Brust-US ergänzend oder vergleichend zur Mammographie zum Einsatz gekommen ist. *Patienten und Methode:* Nach einem standardisierten Untersuchungsprotokoll wurde bei asymptomatischen Frauen (n = 695), die sich stationär in der Frauenklinik Stralsund (n = 648) und in der UFK Greifswald (n = 47) vorstellten, ausgenommen Frauen mit Brust-Operationen, eine Mammasonographie durchgeführt (Gerät: Acuson 128 XP 10, 7 MHz-Linearschallkopf in Stralsund, Hitachi Ecoscan EUB–525, 10 MHz-Linearschallkopf in Greifswald). Voraussetzung war, dass noch keine Mammographie vorlag, durch die die Interpretation des Sonographiebefundes hätte beeinflusst werden können. Eine Palpation schloss sich an jede Untersuchung an. Eine Mammographie wurde allen Frauen ab dem 40. Lebensjahr empfohlen. *Ergebnisse:* Die präoperative Dignitätseinschätzung war in 470 Fällen (67,6%) unauffällig, 219 (31,5%) benigne und in 6 Fällen (0,9%) maligne. Eine Kontrollmammographie wurde in 365 Fällen durchgeführt (unauffällig oder benigne n = 364, maligne n = 1). Bei Malignomverdacht (n = 6) wurde eine Mamma-DE nach sonographischer Drahtmarkierung durchgeführt Es fanden sich 1 Karzinom, 1 Rezidiv und 4 benigne Befunde (Cystosarkoma phyloides, ALH, 2 × FA mit Proliferation). Karzinom-Entdeckungsrate: 0,3%. *Schlussfolgerung:* Die Ergebnisse zeigen, dass es mit der Mammasonographie möglich ist, bei asymptomatischen Frauen Mammatumoren zu detektieren, vergleichbar mit den Entdeckungsraten der Mammographiestudien. Angeregt werden sollte die Durchführung einer Multicenter-Studie und die Integration der Mammasonographie in zukünftig geplante Mammographie-Screeningstudien, um zu prüfen, ob eine Mortalitätsreduktion durch additiven Einsatz beider Untersuchungsmethoden erzielt werden kann.

87

Immunzytochemische und molekulare Charakterisierung disseminierter Tumorzellen beim Mammakarzinom

K. Pantel

Universitätsfrauenklinik, Hamburg, Martinistr. 52, D–20246 Hamburg, Deutschland

Einführung und Fragestellung: Sensitive immunzytochemische Methoden ermöglichen den Nachweis einzelner, disseminierter Tumorzellen im Knochenmark als metastasierungs-relevantem Sekundärorgan bei Patientinnen mit operablem Mammakarzinom. Um das maligne Potential dieser Zellen näher charakterisieren zu können, wurden weitergehende immunbiochemische und molekulare Untersuchungen durchgeführt. *Material und Methode:* An zytologischen Knochenmarkpräparaten von Mammakarzinom-Patientinnen ohne nachweisbare Fernmetastasierung wurden immunzytochemische Doppelfärbungsmethoden und Fluoreszenz-in-situ-Hybridisierungs (FISH)-Techniken durchgeführt. *Ergebnisse:* Mit Hilfe der Doppelfärbung konnten eine Reihe tumor-assoziierter Charakteristika erfasst werden. Hierzu gehören die Expression des 17-1A Antigens (64.5%), die Überexpression des erbB2 Onkogens (67.6%) und die defiziente Expression von MHC Klasse I Molekülen (65.4%), die als Restriktionselemente für die T-Lymphozyten-vermittelte Tumorzellerkennung dienen. Die Fraktion von disseminierten Tumorzellen, die den Proliferationsmarker Ki-67 exprimieren, betrug lediglich 8.3%. Mit Hilfe der FISH-Techniken konnten numerische Aberrationen in den Chromosomen 7, 8 und 18 sowie eine Amplifikation des erbB2-Gens dargestellt werden. *Schlussfolgerungen:* Der maligne Charakter disseminierter Zellen im Knochenmark wurde durch Analysen auf phänotypischer und genomischer Ebene bestätigt. Der überwiegend mitotisch inaktive Zustand (G_0-Phase) der untersuchten Tumorzellen korrespondiert mit der z. T. ausgedehnten Latenzphase («dormancy») bis zur Manifestation der Metastasierung und könnte eine Ursache für das Versagen einer adjuvanten Chemotherapie sein. Mögliche Zielstrukturen für eine Antikörpertherapie, die auch gegen ruhende, chemotherapie-resistente Tumorzellen wirksam ist, sind das häufig auf der Zellmembran exprimierte17-1A Antigen und das erbB2-Onkogen.

88

Virale und zelluläre Progressionsfaktoren bei Zervixdysplasien und Zervixkarzinomen

T.W. Park[1], *S. Riethdorf*[2], *L. Riethdorf*[2], *G. Schulz*[2], *T. Löning*[2], *F. Jänicke*[1]

[1]Universitäts-Frauenklinik Hamburg, [2]Abteilung für Gynäkopathologie, Universität Hamburg, Deutschland

Einführung und Fragestellung: Zervixdysplasien umfassen sowohl entzündlich degenerative als auch präneoplastische Läsionen. Mit den herkömmlichen Bewertungskriterien ist eine zuverlässige Einschätzung des Progressionsrisikos nicht möglich. Telomeraseaktivierung als Hinweis für Immortalisierung, monoklonales Wachstum und HPV 16 E6/7 Expression sind Charakteristika von Zervixkarzinomen. Es wurde geprüft, ob diese zellulären und viralen Veränderungen eine molekulare Differenzierung von biologisch heterogenen Zervixdysplasien erlauben. *Material und Methode:* Telomeraseaktivität wurde über TRAP-assay an Protein-extrakten bestimmt. Die Bestimmung der Klonalität erfolgte über Untersuchungen zur X-Chromosomen-Inaktivierung mit Hilfe PCR-gestützter Methoden.

Die Expression von HPV 16 E6/7 wurde über RNA/RNA in-situ Hybridisierung bestimmt. HPV-Infektion wurde über PCR-gestützte Verfahren nachgewiesen. *Ergebnisse:* 5/10 low-grade und 22/26 high-grade SIL (Squamöse Intraepitheliale Läsionen) und 12/14 Zervixkarzinome erwiesen sich als Telomerase-aktiv. in 19/24 HPV16 infizierten Fällen fand sich eine Korrelation zwischen viraler Onkogenexpression (HPV 16 E6/7) und Telomeraseaktivität. 47 Low-grade und 24 High-grade SIL's waren monoklonal und wiesen hochonkogene HPV-Typen auf. 22/24 Low-grade SIL waren polyklonal und wiesen HPV-Typen mit niedrigem onkogenen Potential auf. *Diskussion:* Die meisten high-grade SIL und eine Untergruppe von Low-grade SIL weisen molekulare Charakteristika (Monoklonalität, virale Onkogenexpression, Telomeraseaktivität) von Plattenepithelkarzinomen der Zervix auf. Klinische Studien werden in Zukunft klären müssen, ob diese molekularbiologisch auffälligen Läsionen als prognostisch ungünstige Risikoläsionen einzustufen sind.

Unterstützt durch Deutsche Krebshilfe 10-1022 Pal.

89

Modifikation der Strahlenwirkung durch Transformierende Wachstumsfaktoren bei Zervixkarzinomzellen

D. Pfeiffer, A. Jensen

Frauenklinik, Ruhr-Universität Bochum, Deutschland

Wir untersuchten die Möglichkeit der Beeinflussung der Strahlenwirkung durch die transformierenden Wachstumsfaktoren EGF und TGF-β bei 2 HPV-positiven (CaSki und SiHa) und einer HPV-negativen (HT3) Zervixkarzinomzellinie. Die im serumfreien Medium gezüchteten Zellen wurden nach Gabe der Wachstumsfaktoren bzw. serumfreien Mediums einer Röntgenbestrahlung mit Einzeldosen zwischen 5 und 20 Gy ausgesetzt. Die Anzahl vitaler Zellen wurde im Coulter Counter und im MTT-Assay bestimmt. Der Anteil apoptotischer Zellen wurde morphologisch nach DNA-Markierung mit dem Farbstoff H 33342 und mit der TUNEL-Methode ermittelt. Nach RNA-Extraktion führten wir zur Untersuchung der Strahlenwirkung auf die RNA-Expression der HPV-Onkogene E6/E7eine semi-quantitative RT-PCR durch. Bei allen 3 Zellinien konnte eine Strahlenapoptose induziert werden, auch bei den beiden HPV-positiven Zellinien. Dies ist erstaunlich, denn infolge des HPV-Infektes ist p53, das normalerweise die Strahlenapoptose vermittelt, eliminiert. Allerdings sind die SiHa-Zellen strahlenresistenter und für eine erfolgreiche Apoptoseinduktion war eine Fraktionierung der Gesamtdosis von 20 Gy auf 2 × 10 Gy notwendig. Die Apoptoseinduktion war begleitet von einer verminderten Expression der E6/E7-RNA. Bei allen 3 Zellinien verminderte EGF (5 ng/ml) die Strahlenapoptose signifikant, bei den beiden HPV-positiven Zellinien ging diese Reduktion der Apoptose einher mit einem Anstieg der E6/E7-RNA. Die alleinige Gabe von TGF-β (1 ng/ml) induzierte bei allen 3 Zervixkarzinomzellinien eine Apoptose. Bei den CaSki und SiHa Zellen war die Apoptose nach TGF-β begleitet von einer Reduktion der Zellzahl, bei den HT3 Zellen dagegen war die Zellzahl trotz Apoptoseinduktion erhöht. TGF-β vermehrte die Strahlenapoptose bei allen 3 Zellinien. Obwohl diese Steigerung der Strahlenapoptose durch TGF-β bei den HT3 Zellen signifikant war, bewirkte TGF-β hier gleichzeitig eine Zunahme der Zellzahl durch eine Stimulation der Proliferation. Wir fassen zusammen: EGF veminderte und TGF-β vermehrte den Anteil apoptotischer Zellen nach Bestrahlung. Bei eventuellen therapeutischen Überlegungen zur Steigerung der Strahleneffektivität, genügt die Ermittlung des Apoptoseverhaltens nicht, denn eine gesteigerte Apoptoserate schliesst eine gleichzeitige Steigerung der Proliferation nicht aus.

90

Epirubicin/Paclitaxel/Carboplatin vs. Paclitaxel/Carboplatin in der Primärbehandlung des fortgeschrittenen Ovarialkarzinomes: Erste Interimsergebnisse der AGO-GINECO Studie zu Sicherheit und Dosisintensität

J. Pfisterer[1,3], B. Weber[2], A. du Bois[1], A. Goupil[2], W. Meier[1], M. Mousseau[2], W. Kuhn[1], B. Richter[1]

[1]AGO Studiengruppe Ovarialkarzinom Deutschland,
[2]GINECO Studiengruppe Ovarialkarzinom Frankreich,
[3]Universitätsfrauenklinik Kiel, Michaelisstr. 16,
24105 Kiel, Deutschland

Einführung: Metaanalysen deuten darauf hin, dass die zusätzliche Behandlung mit einem Anthrazyklin beim Ovarialkarzinom einen Überlebensvorteil von etwa 7% erbringen könnte. *Patientinnen und Methodik:* Seit November 1997 sind 650 von 1000 geplanten Patientinnen (Pat.) in eine prospektiv randomisierte Phase III Studie zum Vergleich von Epirubicin (E) 60 mg/m² + Paclitaxel (T) 175 mg/m² über 3 Std. + Carboplatin (C) AUC 5 q21 × 6 (Arm A) mit TC q21 × 6 ohne E (Arm B) in der Primärbehandlung des Ovarialkarzinomes FIGO IIb–IV aufgenommen worden. Die Pat. wurden nach dem teilnehmenden Zentrum, dem FIGO-Stadium und dem postoperativen Resttumor (Rt) stratifiziert: FIGO IIb–IIIc und Rt $\leq$ 1 cm vs. Rt > 1cm und/oder FIGO IV. Nach Einbringen der ersten 100 Pat. mit mindestens jeweils 4 Zyklen war eine Sicherheitsinterimsanalyse vorgesehen. *Ergebnisse:* 67 Pat. mit 376 Zyklen im Arm A und 44 Pat. mit 253 Zyklen in Arm B standen für die Sicherheitsinterimsanalyse und zur Überprüfung der Dosisintensität zur Verfügung. Die mittleren Dosierungen im Arm A betrugen für E 56 mg/m², für T 172 mg/m² und für C AUC 5, im Arm B für T 173 mg/m² und für C AUC 5. Dosisreduktionen mussten in weniger als 6% der Zyklen in beiden Armen vorgenommen werden, Intervallverlängerungen um mehr als 7 Tage wurde in 7% der Zyklen im Arm A und 3% der Zyklen im Arm B beobachtet. Hämatologische Toxizität ereignete sich häufiger im Arm A: WHO Grad 3/4 Neutropenie (schlechtester Zyklus/Pat.) ereignete sich bei 65% bzw 47% der Pat. im Arm A bzw. B, Leukopenie in 67% bzw. 23%, Anämie in 15% bzw. 2% und Thrombozytopenie in 14% bzw. 2% der Pat. in Arm A bzw. B. Nicht hämatologische Toxizität ereignete sich in beiden Armen gleich selten, insbesondere wurde auch keine klinisch relevante Cardiotoxizität beobachtet. *Schlussfolgerungen:* Es ergab sich kein Grund für einen vorzeitigen Studienabbruch. Obwohl etwas mehr myelosuppressiv, führte die Dreierkombination (ETC) nicht zu Dosisreduktionen oder Intervallverlängerungen. Die zusätzliche Gabe von E als dritte Substanz beeinträchtigte die Dosisintensität von T und C nicht. Daher wird die Studie fortgeführt werden, mit einer Komplettierung der Randomisation ist im Herbst 1999 zu rechnen.

91

Sind Tumorzellen im Aszites repräsentativ für die Charakterisierung des Primärtumors beim serösen Ovarialkarzinom?

O. Reich, P. Pürstner

Geburtshilflich-gynäkologische Universitätsklinik Graz, Österreich

Einführung und Fragestellung: Beim Ovarialkarzinom werden Tumorzellen des Aszites zur Charakterisierung des Primärtumors, z.B. für die Bewertung der Chemotherapeutikaresistenz verwand.

Dabei wird vorausgesetzt, dass die Tumorzellen im Erguss repräsentativ für den Primärtumor sind. Durch einen Vergleich der DNA-Ploidie von Aszites und Primärtumor soll beim serösen Ovarialkarzinom geklärt werden, ob DNA-Ploidie der Tumorstammlinie im Erguss Rückschlüsse auf den Stand der zytogenetischen Progression im Primärtumor zulässt. *Material und Methode:* Präoperativ aspirierter Aszites sowie 4–7 unmittelbar postoperativ entnommene Biopsien je Tumor von 18 serösen Ovarialkarzinomen wurden mittels hochauflösender Durchflusszytometrie untersucht. Für die DNA-Analyse wurde ein PAS III Zytometer (Partec, Münster, BRD) eingesetzt. An mindestens 15 000 Zellkernen je Probe erfolgte eine Färbung mit 4′,6-diamidino-2-phenylindole nach Göhde. Zur Eichung des Gerätes und als interne Referenz dienten humane Lymphozyten. Der mittlere Variationskoeffizent (CV) für sämtlich gemessene G0/G1-Peaks war <3%. Die Auswertung erfolgte mittels Multicycle Software (Phoenix Flow Systems, San Diego, California, U.S.A.). *Ergebnisse:* DNA-Aneuploidie konnte bei allen Aszitespunktaten festgestellt werden. Im einzelnen fanden sich 4 DNA-near diploide, 2 DNA-near tetraploide, 10 DNA-high aneuploide und 2 DNA-hypoploide Messungen. Die DNA-Ploidie der Stammlinie im Aszites konnte in 14 Fällen auch im Primärtumor nachgewiesen werden. In 10 Fällen repräsentierte die Stammlinie im Aszites die Probe des stärksten Zugewinnes an DNA im Primärtumor. In 8 Fällen fanden sich stärkere Zugewinne an DNA im Primärtumor als in den Tumorzellen des Aszites. In keinem Fall war der Zugewinn an DNA im Aszites ausgeprägter als im Primärtumor. *Schlussfolgerungen:* Beim serösen Ovarialkarzinom repräsentiert die DNA-Ploidie der Stammlinie im Aszites nur in einem Teil der Fälle die Stammlinie der stärksten DNA-Änderung im Primärtumor. Rückschlüsse auf den Stand der zytogenetischen Tumorprogression im Primärtumor sind durch DNA-Messungen von Tumorzellen im Aszites deshalb nur eingeschränkt möglich. Dies lässt vermuten, dass Tumorzellen im Erguss nur eingeschränkt repräsentativ für die Charakterisierung des Primärtumors sind.

92

Analyse von βHCG Gentranskripten in benignen und malignen Brusttumoren

T. Reimer, B. Gerber, H. Müller, C. Herrnring, A. Krause, K. Friese

Universitätsfrauenklinik Rostock, Doberaner Str.142, D–18057 Rostock, Deutschland

Einführung und Fragestellung: βHCG ist ein signifikanter Indikator maligner Transformation in Trophoblast- und Keimzelltumoren. Die Bedeutung der ektopen βHCG Produktion in anderen Tumoren ist bisher nicht geklärt. Eine Beeinflussung von Apoptoseprozessen wird vermutet. Ziel der vorliegenden Studie war es, erstmals βHCG Transkripte in Mammagewebe absolut zu quantifizieren.

Material und Methode: Die absolute βHCG mRNA Analyse wurde mittels real-time RT-PCR (TaqMan™) durchgeführt. Der Nachweis auf Proteinebene erfolgte immunhistochemisch an Paraffinschnitten. Insgesamt wurden 121 Mammakarzinome (71,6%), 38 Fibroadenome (22,5%) und 10 normale Brustgewebeproben (5,9%) untersucht. Zur Datenanalyse wurde die SPSS-Software verwendet. *Ergebnisse:* Im normalen Brustepithel war keine βHCG Expression nachweisbar. 22 Fibroadenome (57,9%) exprimierten βHCG mRNA (mean: 85 Kopien/200 ng Gesamt-RNA; 95% CI: 35–135). Innerhalb der Mammakarzinome war in 35 Fällen (28,9%) βHCG mRNA messbar (mean: 79 Kopien/200 ng Gesamt-RNA; 95% CI: 37–121). Fibroadenome und Mammakarzinome unterschieden sich signifikant hinsichtlich der βHCG Expression ($p < 0,005$). In der Karzinompopulation bestanden keine Korrelationen zwischen βHCG mRNA Nachweis und body mass index, Grading, Tumorgrösse, Lymphknotenstatus, Estrogenrezeptor, EGF-Rezeptor, Cathepsin-D, PS_2, Tumorzelleinbruch in Lymph- oder Blutgefässe. Bei jüngeren Patientinnen ($p < 0,04$) und bei Frauen mit positiven Progesteronrezeptor ($p < 0,02$) fand sich eine signifikante häufigere βHCG Expression. Die Fas-Ligand mRNA Expression war in βHCG positiven Proben höher als in βHCG negativen Proben. Diese Unterschiede waren jedoch nicht signifikant (Fibroadenome $p = 0,05$; Mammakarzinome $p = 0,83$). *Schlussfolgerungen:* Der Nachweis von βHCG mRNA gelingt in Fibroadenomen signifikant häufiger und mit höherer Kopienzahl als in Mammakarzinomen. Somit ist βHCG im Brustgewebe eher ein Indikator für benigne Wachstumsprozesse. Inwieweit βHCG Transcripte die Fas-Ligand-Signalkaskade in Fibroadenomen sowie den Progesteronrezeptorstatus in Mammakarzinomen beeinflussen, müssen weitere funktionelle Untersuchungen zeigen.

93

Transkriptionsfaktoren der Rel-Familie regulieren den Urokinasepromotor in Humanen Ovarialkarzinomzellen

U. Reuning, L. Guerrini[1], T. Nishiguchi[2], V. Magdolen, H. Graeff, M. Schmitt

Frauenklinik der Technischen Universität München, Klinikum rechts der Isar, München, Deutschland; [1]Institut für Genetik und Mikrobiologie der Universität Mailand, Italien; [2]Hamamatsu Universität, Hamamatsu, Japan

Einführung: Erhöhte Konzentrationen des Plasminogenaktivators Urokinase tragen substantiell zur Tumorausbreitung und Metastasierung bei. Diese Tatsache hat in den letzten Jahren zum eingehenden Studium der Regulation der Urokinaseexpression in Tumorzellen geführt. Wir untersuchten die Rolle von Rel-Transkriptionsfaktoren, für die im Tumorgeschehen eine wesentliche Rolle beschrieben wurde, auf die Urokinase-Genexpression in humanen Ovarialkarzinomzellen. Der humane Urokinasepromotor enthält drei verschiedene potentielle Bindungsstellen für Rel-Proteine: 5′-NFκB (–1872 bis –1863), 3′-NFκB (–1849 bis –1840) und das sog. «Rel-related binding element (RRBE)» (–1592 bis –1572). In direkten Promotorstudien wurde deren Beitrag zur Aktivierung des Urokinasepromotors und zur Expression von Urokinase in Ovarialkarzinomzellen untersucht. *Methoden:* Mittels in vitro-Mutagenese wurden die drei Rel-DNA-Bindungsmotive des Urokinasepromotors einzeln und in allen möglichen Kombinationen verändert. Nach transienter Transfektion wurde die Aktivität der verschiedenen Promotorkonstrukte in Luziferase-Reportergentests ermittelt. *Ergebnisse:* Die Mutagenese des RRBE führte zu einer bis zu 40%igen Reduktion der Urokinasepromotoraktivität. Wurde zusätzlich das 5′-NFκB-Motiv zerstört, so war ein weiterer signifikanter Abfall der Urokinasepromotoraktivität zu beobachten. Die Promotormutante, in der das 3′-NFκB-Motiv mutagenisiert vorlag, zeigte keine signifikante Aktivitätsveränderung. In Übereinstimmung mit diesen Daten führte die Kotransfektion von RelA-Antisense-oligodesoxynukleotiden (AS-ODN) mit den Reportergenplasmiden zu einer 40%igen Verminderung der Aktivität des Urokinase-Wildtyppromotors, während sie keinen Einfluss auf die Aktivität der Rel-Bindungsdefizienten Urokinasepromotormutanten nahmen. AS-ODN, die gegen die Expression des p50 und des c-Rel gerichtet waren, sowie Kontroll-ODN, zeigten keinen Effekt auf die Aktivität des Urokinasepromotors. Im Gegensatz dazu wurde nach Überexpression von RelA in humanen Ovarialkarzinomzellen die Aktivität des Urokinase-Wildtyppromotors um das 3-fache gesteigert. Auf der Proteinebene ging dies mit einer bis zu 6-fachen Steigerung der Urokinasesekretion durch humane Ovarialkarzinomzellen einher. Nach Überexpression des Rel-Inhibitors IκB wurde hingegen die Urokinasesekretion in Zellkulturüberstände, sowie die Aktivität des Urokinase-Wildtyppromotors, signifikant verringert. In Gelretardationsanalysen wurde die spezifische Bindung von Rel-Proteinen in nukleären Ovarialkarzinomzellextrakten an das RRBE und das 5′-NFκB-Motiv, jedoch nicht an das 3′-NFκB-Motiv, nachgewiesen. *Schlussfolgerungen:* Unsere Daten belegen, dass Transkriptionsfaktoren der Rel-Familie signifikant zur Transaktivierung des Urokinasepromotors und damit zur Überexpression der Urokinase in humanen Ovarialkarzinomzellen beitragen.

94

Zirkulierende Stammzellen und deren mögliche Bedeutung für die Vaskularisation des Mammakarzinoms

S. Runkel, G. Schönfelder[1], Ch. Richter, F. Opri, H. Hopp, M. Paul[1], H. Weitzel

Frauenklinik und [1]Klinische Pharmakologie und Toxikologie des Universitätsklinikums Benjamin Franklin, FU Berlin, 12200 Berlin, Deutschland

Einführung: Die Vaskularisation von Mammakarzinomen ist ein unabhängiger Prognoseparameter und ein innovativer Therapieansatz. Allgemein wird angenommen, dass die Gefässneubildung durch Aussprossung aus dem bereits vorhandenen Gefässsystem stattfindet. Der vorliegenden Arbeit lag die Hypothese zugrunde, dass zirkulierende endotheliale Vorläuferzellen bei der Vaskularisation eine Rolle spielen. Es wurde untersucht, ob solche Zellen bei Patientinnen mit Mammakarzinom nachweisbar sind. *Methode:* Aus dem Blut von sechs Patientinnen mit Mammakarzinom wurden CD34 («Stammzellmarker») positive Zellen mit Hilfe eines magnetischen Verfahrens isoliert und kultiviert. Danach erfolgte eine Doppelmarkierung mit CD34 und PECAM-1 («Endothelzellmarker» CD31). Nach Zellsortierung wurde die Expression von VEGF-Rezeptoren (FLK-1, FLT-1) und vom Angiopoetin-Rezeptor TIE-1 bei CD34+/CD31+ Zellen immunhistologisch untersucht. *Ergebnisse:* Bei allen Patientinnen konnten CD34+ «Stammzellen» im Blut isoliert werden. CD 34+/CD31+ Zellen exprimierten die Rezeptoren FLK-1, FLT-1 und TIE-1. *Schlussfolgerung:* Im Blut von Patientinnen mit Mammakarzinom konnten «Stammzellen» isoliert werden, bei denen es sich wahrscheinlich um endotheliale Vorläuferzellen handelt (CD34+/CD31+) und die Rezeptoren für angiogenetische Wachstumsfaktoren exprimieren. Da kürzlich nachgewiesen wurde, dass solche endotheliale Vorläuferzellen eine Bedeutung für die physiologische Vaskularisation haben, nehmen wir an, dass diese zirkulierenden Zellen auch bei der pathologischen Vaskularisation in Mammakarzinomen eine Bedeutung haben könnten.

95

Die Expression von CD44V6 ist ein unabhängiger Prognoseparameter beim Zervixkarzinom des Stadium Ib mit negativem Lymphknotenstatus

P. Speiser, F. Kridelka[1], L. Edwards[1], C. Tempfer, Ch. Kainz, S. Leodolter, N.F. Hacker

Abteilung Gynäkologie und Geburtshilfe, Frauenklinik Wien, Universität Wien, Österreich; [1]Royal Hospital for Women, Gynaecological Cancer Centre, Sydney, Univ. New South Wales, Australia

Adhäsionsmoleküle wie das CD44 Protein spielen eine wichtige Rolle im Rahmen der Metastasierung einer ganzen Reihe von Malignomen. Mittels alternativem Splicings (Modifikation von «pre-messenger» RNA), werden zahlreiche Isoformen produziert (CD44v1-CD44v10). Die Expression von CD44 Isoformen spielt eine wichtige Rolle in der Interaktion von Tumorzellen mit dem Endothel und der subendothelialen Matrix. Physiologischerweise spielt CD44 als so genannter «Lymphocyte homing receptor» eine wesentliche Rolle bei der Migration von zirkulierenden Lymphocyten in das lymphatische System. In der vorliegenden Studie untersuchten wir mit Hilfe der Immunhistochemie die Expression von CD44v3 und v6 in 237 Patientinnen mit Zervixkarzinomen der Stadien Ib, N0. Diese Ergebnisse wurden mit dem GOG Score und anderen Prognoseparametern korreliert. 44% bzw. 46% aller Tumore waren positiv für die Expression von CD44v3 bzw. CD44v6. Die mittlere Nachbeobachtungszeit betrug 82,6 Monate (39–110 Monate). Innerhalb der Nachbeobachtungszeit rezidivierten 39 Patientinnen und 35 starben an ihrer Erkrankung. In univariater Analyse korrelierten der GOG Score, der histologische Subtyp und die CD44v6 Expression signifikant mit einem verkürzten Gesamtüberleben. In multivariater Analyse waren der GOG Score [$<$40 vs. 40–120, RR: 1.37 (95% CI: 1.10–1.71); 40–120 vs. $>$120, RR: 2.23 (95% CI: 1.28–3.88); p = 0.004], der histologische Subtyp (Adenosquamöse Karzinome) [RR: 4.56 (95% CI: 1.49–13.92), p = 0.007] und die CD44v6 Expression [RR: 2.42 (95% CI: 1.14–5.10), p = 0,021] unabhängige Prognosefaktoren für ein verkürztes Gesamtüberleben. Die Expression von CD44v3 korrelierte nicht mit der Prognose. Weiters fanden wir eine starke Korrelation zwischen CD44v6 Expression und Lymphgefässinvasion (LVSI) (χ^2 = 17,01, p = 0,0001). Der bevorzugte Weg der Tumorzelldissemination des Zervixkarzinoms ist die lymphogene Metastasierung. Die starke Korrelation der CD44v6 Expression mit LVSI legt den Verdacht nahe, dass Zervixkarzinomzellen mittels der CD44v6 Expression lyphozytäre Verkehrswege ausnützen. Die Tatsache, dass unser Studienkollektiv Lymphknoten-negativ ist, deutet darauf hin, dass die CD44v6 Expression nicht nur an der Metastasierung in regionale Lymphknoten beteiligt ist, sondern in das lymphatische System generell.

96

Transfiziertes Keratin 18 verringert die Aggressivität von Brustkrebszellen

G.Schaller, H. Bühler

Frauenklinik des Klinikums Benjamin Franklin der Freien Universität Berlin, Hindenburgdamm 30, 12200 Berlin, Deutschland

Fragestellung: Keratin 18 (K18) wird in den luminalen Zellen des Brustdrüsenepithels exprimiert und stellt damit ein Differenzierungsprodukt dar. Wird dieses Intermediärfilamentprotein in Mammakarzinomen exprimiert, verringert sich die Metastasierungsfähigkeit dramatisch, was mit einer günstigen Prognose der Erkrankung verbunden ist. Um Einblick in die zugrunde liegenden Mechanismen zu bekommen, transfizierten wir das K18-Gen in eine K18-defiziente, hoch aggressive Mammakarzinom-Zellinie. *Material und Methode:* Eingesetzt wurde die stark proliferierende und metastasierende MCF-7-LCC2-Zellinie. Diese Zellen stammen von der nicht metastasierenden MCF-7-Zellinie ab und exprimieren im Gegensatz zu dieser nur noch residual K18. Transfiziert wurde das komplette humane K18-Gen (pGC 1853, R. Oshima, La Jolla, Calif.) mit Hilfe von PerFect Lipid pFx-2 (Invitrogen). *Ergebnisse:* Auf dem Orbitalschüttler zeigten die frisch trypsinisierten Transfektanten eine deutliche Clusterbildung. Diese deutliche Erhöhung der Adhäsivität war gleichzeitig verbunden mit einer ebenso deutlichen Verminderung der Proliferationsfähigkeit in Soft Agar: Nach 10 Tagen hatten die K18-defizienten Zellen grosse Kolonien gebildet, während die K18-exprimierenden Zellen nur eine geringe Zellteilung, gefolgt von einer raschen Apoptose, aufwiesen. Anhand mehrerer stabil transfizierter Zellinien konnte weiterhin gezeigt werden, dass dieser Effekt von der Menge des exprimierten K18-Proteins abhängig war. *Schlussfolgerungen:* Im Rahmen der malignen Transformation kommt es mit der Entdifferenzierung zu einschneidenden Veränderungen bei den Strukturproteinen, die eine Metastasierung und eine Proliferationssteigerung erst ermöglichen. Mit der Transfektion des K18-Gens ist es möglich, diesen Prozess der Entdifferenzierung partiell aufzuheben und damit die Aggressivität von Krebszellen deutlich zu vermindern. Damit kann die K18-induzierte Differenzierung in Karzinomzellen als schlüssiges therapeutisches Prinzip angesehen werden.

97

Einsatz der Positronen-Emissions-Tomographie (PET) zur Beurteilung des Ansprechens auf präoperative Chemotherapie beim Mammakarzinom

M. Schelling[1], N. Avril[2], W. Kuhn[1], M. Schwaiger[2], H. Graeff[1]
[1]Frauenklinik, [2]Nuklearmedizinische Klinik der Technischen Universität München, Deutschland

Fragestellung: Die Positronen-Emissions-Tomographie (PET) mit [^{18}F]Fluorodeoxyglucose (FDG) wurde bei Patientinnen mit lokal fortgeschrittenem oder inflammatorischem Mammakarzinom vor und während einer primären Chemotherapie durchgeführt. Um eine möglichst frühzeitige Information über ein Ansprechen oder Versagen der Chemotherapie zu erlangen, wurden das Ausmass und der zeitliche Verlauf der Änderungen der FDG-Utilisation während der Therapie untersucht. *Material und Methode:* Dynamische PET-Scans der Mamma wurden bei 12 Patientinnen mit Mammakarzinom vor der histologischen Sicherung durch eine Stanzbiopsie durchgeführt. Alle Patientinnen erhielten im Anschluss eine anthracyclinhaltige Chemotherapie. Die PET wurde jeweils ca. 7 Tage nach dem ersten und zweiten Chemotherapiezyklus wiederholt. Nach Schwächungskorrektur wurden dabei 30–60 min post injectionem die SUV-Werte (standardized uptake values) der Läsionen bestimmt und mit dem Therapieansprechen korreliert. *Ergebnisse:* Bei 7/12 Patientinnen konnte eine partielle oder komplette Remission des Tumors unter Chemotherapie beobachtet werden. Bei 6 dieser Fälle (86%) zeigte sich eine Abnahme des SUV bereits nach dem ersten Therapiezyklus. Nach dem zweiten Zyklus ergab sich bei allen 7 Patientinnen (100%) eine Abnahme der Glucoseutilisation im Vergleich zu den Ausgangswerten vor Chemotherapie. Von den 12 untersuchten Patientinnen wurden aufgrund der klinischen und apparativen Diagnostik 5 Fälle als Therapieversager (no change oder progressive disease) gewertet. Bei 4/5 dieser Fälle (80%) zeigte die PET nach dem ersten Therapiezyklus ebenfalls abfallende SUV-Werte. Nach dem zweiten Zyklus erreichten jedoch alle SUV-Werte mit Ausnahme einer Patientin (80%) wieder das prätherapeutische Niveau. *Schlussfolgerung:* Die vorliegende Studie zeigt, dass eine Abnahme der Glucoseutilisation im Rahmen einer primären Chemotherapie bereits ca. 7 Tage nach Therapiebeginn beobachtet werden kann. Bei Patientinnen, die auf die Therapie ansprechen, hält dieser Abfall des FDG-Uptake im Verlauf der weiteren Therapie an, während bei Therapieversagern nach einem initialen SUV-Abfall ein erneuter Anstieg der Glucoseutilisation auf eine Tumorprogression hinweisen kann.

98

Bedeutung unterschiedlicher Proteasensysteme bei der malignen Progression von Ovarialtumoren

B. Schmalfeldt, E. Lengyel, L. Konik, A. Fenn, K. Haerting, D. Prechtel[1], M. Schmitt, W. Kuhn, H. Graeff
Frauenklinik, [1]Institut für Pathologie der TUM, Ismaninger Str. 22, 81675 München, Deutschland

Fragestellung: Proteasen sind durch Abbau der extrazellulären Matrix an Invasion und Metastasierung solider Tumoren beteiligt. Im folgenden wurde die Bedeutung des Plasminogenaktivators vom Urokinase Typ (uPA) und der Metalloproteinasen MMP 2 und MMP 9 bei der malignen Progression vom benignen Ovarialtumor zum metastasierten Karzinom untersucht. *Material und Methode:* Bei 20 Ovarialkystomen, 19 LMP-Tumoren, 41 Ovarialkarzinomen FIGO III/IV und deren Netzmetastasen wurde die Proteinexpression von uPA und Inhibitor PAI-1 im ELISA gemessen. Die Aktivität von MMP 2 und MMP 9 wurde durch quantitative Gelatin-Zymographie, die Proteinexpression von MMP 2 und MMP 9 im Western Blot bestimmt. *Ergebnisse:* Die Proteinexpression von uPA und PAI-1, sowie die MMP 2 und MMP 9 Aktivität stiegen mit zunehmender maligner Transformation der Ovarialtumoren an. Die medianen Konzentrationen für uPA und PAI-1 waren zwischen Kystomen (0,24 u. 4,50 ng/mg Prot.), Karzinomen FIGO III/IV (1,14 u. 15,4 ng/mg Prot.) und Metastasen (3,91 u. 32,34 ng/mg Prot.) signifikant unterschiedlich ($p < 0{,}001$). MMP 9 Aktivität wurde im Zymogramm bei 4 der 20 benignen Ovarialkystome (20%), bei 8 der 19 LMP Tumoren (42%) und bei 26 der 41 Ovarialkarzinome (63%) nachgewiesen. Während die Aktivität der inaktiven 72-kD Form von MMP bei benignen und malignen Ovarialtumoren vergleichbar hoch war, wurde die aktivierte 62-kD Form von MMP 2 nur bei invasiven Tumoren gefunden. In der Metastase war MMP 2 im Median signifikant höher (7,52 U/μg Prot.) exprimiert als im Primärtumor FIGO III/IV (5,96 U/μg Prot., $p < 0{,}028$). *Schlussfolgerung:* Im Verlauf der malignen Progression vom benignen Ovarialtumor zum metastasierten Ovarialkarzinom kommt es zur Überexpression unterschiedlicher Proteasensysteme. Neue tumorbiologisch orientierte Therapieansätze, wie der sich derzeit beim Ovarialkarzinomrezidiv in klinischer Prüfung (Phase II) befindende MMP Inhibitor könnten Invasion und Metastasierung bei malignen Ovarialtumoren reduzieren.

99

In vitro Produktion tumorspezifischer cytotoxischer T Lymphozyten durch Stimulation mit synthetischen HPV Typ 16 E7 Peptiden zur adoptiven Immunotherapie des Zervixkarzinoms

W.M.J. Schöll[1,2], R. Mirhashemi[2], B. Liu[2], R. Winter[1]

[1]Geburtshilflich Gynäkologische Universitätsklinik Graz, Österreich, [2]Department of Immunology, University of Miami, Florida, USA

Einführung: Mehr als 50% aller Zervixkarzinome sind mit der Transkription des HPV-16 E7 Onkoproteins assoziiert. HPV bedingte Zervixkarzinome könnten im Falle der antigene Expression von E7 Peptiden ideale Modelle für eine Immunotherapie darstellen. Unser Ziel war es, HPV-16 E7 peptidspezifische cytotoxische T Lymphozyten (CTLs) mit HLA-A2 Restriktion in vitro zu erzeugen. *Methode:* Mononukleäre Zellen des peripheren Blutes (PBMCs) wurden von HLA-A2 + gesunden Spendern isoliert. Nach Reduktion überschüssiger CD4 + T Lymphozyten erfolgte eine Inkubierung mit den HPV-16 $E7_{11-20}$ YMLDLQPETT und HPV-16 $E7_{86-93}$ TLGIVCPI Peptiden. Der primären PBMC Kultur wurden die Zytokine IL-2, IL-7, GM-CSF und IL-4 zugegebenen. Wöchentliche Restimulierungen erfolgten mit folgenden Peptid präsentierenden («gepulsten»), bestrahlten autologen Zellen: Dendritische Zellen, PBMCs, «Epstein Barr Virus (EBV) immortalisierte» B Lymphozyten. Die cytoloytische Aktivität der derart restimulierten T Zellen wurde mittels eines Standard-^{51}Chrom-Cytotoxizitätstest bestimmt. *Ergebnisse:* Nach zweimonatiger Kultur waren mehr als 95% aller PBMCs CD8 + T Lymphozyten. Diese CTLs konnten die HPV-16+ und HLA-A2 + Zervixkarzinomzellinie Caski lysieren. SiHa, eine HPV-16+, aber HLA-A2– Zervixkarzinomzellinie konnte nur nach Transfektion mit HLA-A2 lysiert werden. Gegen peptidgepulste, aber nicht gegen ungepulste EBV immortalisierte B Lymphozyten konnte eine hochspezifische Cytotoxizität (>90%) gemessen werden. Nach zweimonatiger Kultur konnten autologe Stimulatoren zur CTL Proliferation durch allogene, gefrorene dendritische Zellen ersetzt werden. *Schlussfolgerung:* HPV-16 E7 peptidspezifische primäre cytotoxische T Lymphozyten konnten in vitro erzeugt werden. Ein klinischer Versuch mit adoptiver Immunotherapie des HPV assoziierten Zervixkarzinomes soll auf diesen Daten basieren.

100

Präoperative Thrombozytose ist ein unabhängiger prognostischer Faktor bei Patientinnen mit Endometriumkarzinom im Stadium III und IV

H.S. Scholz, E. Petru, F. Gücer, J. Haas, K. Tamussino, R. Winter

Geburtshilflich-gynäkologische Universitätsklinik Graz, Österreich

Einführung und Fragestellung: Die Bedeutung der Thrombozytose als ungünstiger prognostischer Faktor bei verschiedenen Malignomen wurde beschrieben. Zwei Arbeiten haben bislang die Thrombozytose als prognostisches Kriterium beim Endometriumkarzinom beurteilt, jedoch war die Anzahl der Fälle in fortgeschrittenem Stadium jeweils gering. Ziel der voliegenden Arbeit war es, die Rolle der Thrombozytose als prognostischen Faktor bei Patientinnen mit Endometriumkarzinom im Stadium III und IV an einer grösseren Fallzahl zu bewerten. *Material und Methode:* Die Datenerhebung erfolgte retrospektiv bei allen Patientinnen mit Endometriumkarzinom im Stadium III und IV, die zwischen 1983 und 1993 an unserer Klinik operiert wurden. Nach Ausschluss von 30 Patientinnen (Uterussarkome, Zweitmalignome, keine präoperative Thrombozytenzählung) wurden 59 Fälle analysiert. *Ergebnisse:* In der multivariaten Analyse zeigten drei Faktoren signifikanten Einfluss auf die Tumorfrei-5-Jahres-Überlebensrate: FIGO Stadium (Stadium III vs. Stadium IV; p = 0,0087), Thrombozytose (Thrombozyten <400,000/ml vs. Thrombozyten ≥400,000/ml; p = 0,0199) und Zervixinfiltration (Infiltration vs. keine Infiltration; p = 0,0235). Auch die Gesamt-5-Jahres-Überlebensrate wurde signifikant von diesen drei Faktoren beeinflusst. *Schlussfolgerungen:* Präoperative Thrombozytose ist ein unabhängiger prognostischer Faktor bei Patientinnen mit Endometriumkarzinom im Stadium III und IV und könnte bei diesen zur individuellen Risikoeinschätzung mit herangezogen werden.

101

Expression von VEGF und in vivo- Nachweis der Angiogenen Rezeptoren sFLT-1 und TIE-2 bei Patientinnen mit Ovarialkarzinom

W. Schröder, P. Reusch[1], C. Rudlowski, D. Marme[1], W. Rath

Frauenklinik für Gynäkologie und Geburtshilfe, Universitätsklinikum RWTH Aachen, [1]Institut für Molekulare Medizin, Klinik für Tumorbiologie, Freiburg, Deutschland

Einführung und Fragestellung: Im Rahmen der Angiogenese nimmt der Vascular Endothelial Growth Factor (VEGF) eine zentrale Rolle ein, der seine Wirkung an vaskulären Endothelzellen via Rezeptoren mit Tyrosinkinaseaktivität (KDR/FLK-1 und FLT-1) vermittelt. TIE-2 als Rezeptor für Angiopoetin-1 bzw. -2 ist ebenfalls an der Regulation der Gefässneubildung wesentlich beteiligt. Wir untersuchten daher sowohl die Expression von VEGF im Ovarialkarzinomgewebe als auch dessen Konzentration im Serum und Aszites und bestimmten hierin ferner erstmalig sFLT-1 und sTIE-2. *Material und Methode:* In 65 Paraffin-eingebetteten Ovarialkarzinomen detektierten wir immunhistochemisch unter Verwendung eines anti-human VEGF-Antikörpers (R&D, Minneapolis, USA) und der ABC-Immunperoxidase-Technik die Expression von VEGF. VEGF im Serum und Aszites wurde mit ELISA-Technik (R&D) gemessen. Die Bestimmung von sFLT-1 und sTIE-2 erfolgte durch ELISA mittels von der Arbeitsgruppe entwickelter mAK gegen rekombinante extrazelluläre Domänen beider Rezeptoren. 16 Patientinnen mit benignen Ovarialtumoren dienten als Kontrolle. *Ergebnisse:* 63/65 (96.9%) zeigten eine positive VEGF-Expression, die in 12 Tumoren (18.4%) nur schwach ausgeprägt war. Während die medianen VEGF-Konzentrationen im Serum bei Patientinnen mit benignen und malignen Tumoren nicht different waren, ergab sich in der Peritonealflüssigkeit von Ovarialkarzinompatientinnen ein vergleichsweise 14fach höherer Medianwert (p < 0.01). Bei dessen Anwendung als cut-off-Wert zeigte sich auch eine vom Tumorstadium unabhängige statistisch signifikante Differenz hinsichtlich der Überlebenszeit (p < 0.05). Interessanterweise korrespondierte hierzu das Verhalten des solublen FLT-1- Rezeptors, dessen Konzentration im Aszites ebenfalls um das 7fache statistisch signifikant höher war, während die Serumkonzentrationen denjenigen bei gutartigen Tumoren entsprachen. Der sTIE-2-Rezeptor zeigte in beiden Kompartimenten vergleichsweise keine signifikanten Unterschiede. *Schlussfolgerung:* Die Ergebnisse der vorliegenden Studie und der kürzlich erbrachte Nachweis, dass VEGF die Expression seines Rezeptors selbst induzieren kann, legen den Schluss nahe, dass dieses Zytokin eine wichtige Rolle bei der intraperitonealen Tumorausbreitung spielt und ein interessantes Target für antiangiogenetische Therapieansätze bei Ovarialkarzinompatientinnen darstellt.

102

Immunzytochemische Bestimmung des Somatostatin-Rezeptorstatus beim Mammakarzinom

S. Schulz, W. Weise

Universitätsfrauenklinik, Otto-von-Guericke-Universität, Gerhart-Hauptmann-Str. 35, D–39108 Magdeburg, Deutschland

Einführung und Fragestellung: Das lang-wirkende Somatostatin-Analogon, Octreotid, besitzt potente antiproliferative Aktivität gegenüber verschiedenen Mammakarzinomzellinien in vivo und in vitro. Das Ansprechen von Tumorzellen auf Somatostatin-Analoga ist von der Expression der fünf Somatostatin-Rezeptoren abhängig. Es ist deshalb von überragender Bedeutung, den Somatostatin-Rezeptorstatus der Tumore zu bestimmen. *Material und Methode:* Wir haben kürzlich paraffin-gängige Antikörper gegen die Somatostatin-Rezeptoren sst_1, sst_{2A}, sst_{2B}, sst_3 erzeugt und eine immunzytochemische Nachweismethode entwickelt (Schulz et al., Clin. Cancer Res. 4, 2047–2052, 1998). In der vorliegenden Arbeit wurden nun weitere Antikörper gegen den sst_4 und sst_5 Rezeptor generiert und der komplette Somatostatin-Rezeptorstatus von 55 Patientinnen mit primären Mammakarzinom bestimmt. Die Antikörpercharakterisierung erfolgte mittels Westernblot und Immunfluoreszenz an stabil-transfizierten HEK-293 Zellen. *Ergebnisse:* Somatostatin-Rezeptor-Immunreaktivität war deutlich an der Plasmamembran lokalisiert. Sowohl das Ausmass als auch das Muster der Somatostatin-Rezeptor Expression variierte sehr stark zwischen einzelnen Karzinomen. Am häufigsten wurde sst_2 mit 85%, gefolgt von sst_1 und sst_3 mit je 50%, sst_4 und sst_5 wurden schliesslich noch in 35% bzw. 15% der Fälle nachgewiesen. Der Somatostatin-Rezeptorstatus war unabhängig vom Alter, Menopause, Histologie, Differenzierung, Östrogen- und Progesteron-Rezeptorstatus. *Schlussfolgerungen:* Die immunzytochemische Bestimmung des Somatostatin-Rezeptorstatus ermöglicht den direkten Nachweis des Rezeptorproteins auf der Tumorzelle und könnte so einen möglichen Vorhersagewert für das Ansprechen einer Octreotidtherapie besitzen. Darüberhinaus ist die Bestimmung des gesamten Somatostatin-Rezeptorstatus von Bedeutung, da es mit der Verfügbarkeit selektiver Agonisten für alle fünf Somatostatin-Rezeptoren (Rohrer et al., Science 282, 737–740, 1998) zukünftig möglich ist, ein oder mehrere Somatostatin-Analoga für einen optimalen therapeutischen Effekt auszuwählen.

103

Die Korrelation der Expression von c-erbB-2 und Topoisomerase IIα im Tumorgewebe von Ovarialkarzinomen

B. Tanner, J. Lange, S. Gebhard[1], H. Pilch, J.G. Hengstler[1]

Universitäts-Frauenklinik, [1] Institut für Toxikologie, Mainz, Deutschland

Einführung und Fragestellung: Die Expression des c-erbB-2/c-neu-Onkogens im Tumorgewebe ist für die betreffenden Ovarialkarzinom-Patientinnen mit einer schlechten Prognose verbunden. Das Gen für das c-erbB-2 liegt in Nachbarschaft zum Gen für die Topoisomerase IIα auf dem Chromosom 17q21-22. Werden die Genprodukte von c-erbB-2 und Topoisomerase IIα im Tumorgewebe von Ovarialkarzinomen gemeinsam exprimiert und lässt sich dadurch eine Erklärung für den Zusammenhang von c-erbB-2 Expression und schlechter Prognose der betreffenden Patientinnen finden? *Methode:* Die Expression der mRNA von c-erbB-2, Topoisomerase IIα und Topoisomerase IIβ wurde im Tumorgewebe von 69 Patientinnen mittels semiquantitativer reverser PCR bestimmt und zueinander in Beziehung gesetzt. *Ergebnisse:* Während die Expression der mRNA von c-erbB-2 signifikant häufig mit der mRNA der Topoisomerase IIβ korrelierte (χ^2-Test, p = 0,005), wurde für c-erbB-2 und Topoisomerase IIβ keine signifikante Korrelation beobachtet (χ^2-Test, p = 0, 165). Darüberhinaus war Topoisomerase IIα, im Gegensatz zu Topoisomerase IIβ, ein unabhängiger Prognosefaktor. *Schlussfolgerung:* Wegen der Korrelation ihrer Genprodukte im Tumorgewebe von Ovarialkarzinomen kann man vermuten, dass c-erbB-2 als unabhängiger Parameter für das Überleben mit der Topoisomerase-vermittelten Resistenz in Zusammenhang stehen könnte.

104

Langzeitmortalität bei 324 gynäkologischen Malignompatientinnen in Abhängigkeit von der perioperativen Thromboseprophylaxe mit entweder niedermolekularem Heparin (Certoparin®) oder unfraktioniertem Heparin (UFH) – Eine prospektive doppelblinde randomisierte Erhebung

G.-F. v. Tempelhoff, G. Hommel[1], F. Niemann[2], D.M. Schneider, L. Heilmann

Abt. Gynäkologie und Geburtshilfe Stadtkrankenhaus Rüsselsheim, [1] Institut für Medizinische Statistik und Dokumentation, Univ. Mainz, [2] Behring Dade Marburg, Deutschland

Einleitung: In einer Reihe von Thrombosebehandlung und – Prophylaxe Studien, in die Patienten mit unterschiedlichen Malignomtypen und – Stadien einbezogen wurden, beobachtete man eine Verbesserung der Malignom-Überlebenszeiten der Patienten unter dem Einsatz von Heparin und anderen Antikoagulantien. Einige Tumorzellen besitzen zellständige funktionell intakte prokoagulative Mechanismen, z.B. Tissue Factor (TF), die neueren Ergebnissen zu Folge vermutlich auch eine wichtige Rolle innerhalb der Tumorneoangiogenese, Tumorinvasion bzw. -Metastasierung einnehmen. Die antikoagulativen und antiproliferativen Eigenschaften der Heparine, insbesondere der niedermolekularen (NMH), antagonisieren möglicherweise diese Mechanismen. Bislang exsistiert keine Studie, die unter streng standardisierten Bedingungen doppelblind randomisiert und prospektiv den Einfluss einer Therapie mit entweder NMH oder UFH auf das Überleben an einem homogenen Patientengut untersucht hat. *Patientinnen und Methoden:* 324 gynäkologische Malignompatientinnen erhielten doppelblind randomisiert zum Zeitpunkt der Primäroperation entweder 3000 anti-Xa Einheiten s.c /die NMH (Certoparin® Novartis GmbH, Nürnberg) plus 2 Placeboinjektionen (n = 160) oder 3 × 5000 I.E. UFH/die (n = 164) als peri- und postoperative Thromboseprophylaxe. Die Heparintherapie wurde 2 h vor Operation begonnen und einheitlich bis zum 7 p.o. Tag fortgesetzt. Innerhalb der beiden Heparingruppen waren die Patientinnen hinsichtlich der Malignomtypen und Stadien bzw. der operativen Eingriffe gleich verteilt. *Ergebnisse:* 287 Patientinnen konnten für die Überlebensberechnungen herangezogen werden. Die mediane Beobachtungszeit betrug 1756 Tage (Min./Max.: 1050–2555) Tage). Nach 650 Tagen ergab sich für Patientinnen nach NMH Therapie ein stat. signifikant besserer Verlauf der Kaplan-Meier Überlebenskurven (Log rank: p = 0,0066) und eine niedrigere Mortalitätsrate (8/140, 5,7% vs. 23/147, 15,6%: Fisher exact: p = 0,005). Demgegenüber ergaben sich nach 1050, 1825 oder 2200 Tagen keine stat. sign. Vorteile mehr für die NMH Therapie. Die tumortypenabhängige Überlebensberechnung ergab, dass im Gegensatz zum Mammakarzinom nur Frauen mit Ovarial- oder Uteruskarzinom von der NMH Therapie profitierten. *Schlussfolgerung:* Trotz der kurzen Heparinbehandlung deuten die Ergebnisse dieser Studie auf eine zumindest für einige Tumortypen nachweisbare Überlebenszeitverbesserung nach NMH Behandlung gegenüber der UFH Therapie hin. Ein Einfluss des UFH auf die Überlebenszeiten kann allerdings nicht ausgeschlossen werden. Künftige Placebo kontrollierte Studien sind notwendig, die möglicherweise über einen längeren Zeitraum und eine Dosis modifizierte Heparintherapie den in dieser Studie beobachteten Trend bestätigen müssen.

105

Dosisintensivierte, intervallverkürzte adjuvante Chemotherapie mit Epirubicin und Cyclophosphamid (diEC) bei Mammakarzinom-Patientinnen mit hohem Rezidivrisiko: Ergebnisse einer randomisierten Studie

C. Thomssen[1], M. Untch[2], D. Sattler[3], K. Behrens[1], S. Kahlert[2], E. Schill[3], G. Konecny[2], E. Oberlechner[4], W. Kuhn[3], H. Graeff[3], H. Hepp[2], F. Jänicke[1]

Frauenkliniken, [1]Universitätskrankenhaus Hamburg-Eppendorf, [2]Klinikum Grosshadern, LMU München, [3]Klinikum rechts der Isar, TU München und [4]Klinikum Landshut, Deutschland

Einführung und Fragestellung: Die adjuvante Therapie des Mammakarzinom mit extensivem Lymphknotenbefall ist unbefriedigend. Wir untersuchten im Rahmen einer prospektiven, randomisierten Multicentre-Studie die Effektivität und Sicherheit einer dosisintensivierten, intervallverkürzten adjuvanten Chemotherapie bei Patientinnen mit ≥ 10 positiven Lymphknoten oder extranodaler Infiltration (Kapseldurchbruch). *Methode:* 182 Patientinnen erhielten vier Zyklen EC 120/600 mg/m^2 alle zwei Wochen mit G-CSF-Unterstützung (diEC) oder vier Zyklen EC 90/600 mg/m^2 alle drei Wochen, gefolgt von drei Zyklen CMF (EC/CMF). *Ergebnisse:* Bei einer medianen Beobachtungszeit von 31 Monaten konnten 173 Patientinnen (diEC: 92; EC/CMF: 81) ausgewertet werden. Es traten 45 Rezidive und 22 Todesfälle auf. Das krankheitsfreie Überleben war für die mit diEC behandelten Patientinnen signifikant besser (p = 0,017). Signifikant besser (p = 0,003) war auch das Intervall ohne Therapie und Krankheitssymptome (TWIST). Leukopenien III°/IV° traten in 21,2%, Thrombopenien III°/IV° in 1,5% der auswertbaren diEC-Zyklen auf. Eine Patientin verstarb 3 Monate nach Therapieende (diEC), möglicherweise aufgrund einer therapiebedingten Herzinsuffizienz. *Schlussfolgerungen:* Zum ersten Mal kann die Überlegenheit einer dosisintensivierten adjuvanten Therapie beim Mammakarzinom gezeigt werden. diEC erweist sich als Schema mit akzeptabler Toxizität, das bei deutlich verkürzter Therapiezeit signifikant effektiver im Vergleich zur Standardtherapie ist.

106

Nachweis Cytokeratin (CK) 18 positiver Zellen im Knochenmark bei Mammakarzinompatientinnen zum Zeitpunkt der Primärtherapie – keine Prädiktion einer schlechteren Prognose

M. Untch, S. Kahlert, E. Funke, G. Konecny, C. Nestle-Krämling, I. Bauerfeind, H. Hepp

Universitätsfrauenklinik München/Grosshadern, Deutschland

Einführung: Epitheliale Zellen im Knochenmark von Mammakarzinompatientinnen wurden bisher als okkulte Metastasierung interpretiert. Unsere prospektive Studie führt zum Zeitpunkt der primären Operation mittels Immunhistochemie den Nachweis von CK 18 positiven Zellen im Knochenmark und korreliert die Expression mit dem rezidivfreiem Überleben (DFS) und dem Gesamtüberleben (OAS). *Methode:* Knochenmark wird an 4–6 Stellen des Achsenskelettes (Sternum, Beckenkamm) aspiriert. Die immunhistochemischen Färbungen wurden mit dem Antikörper CK 2 (Boehringer) gegen Cytokeratin 18 durchgeführt. Der Cut-off war eine positive Zelle in 10^5 kernhaltigen Knochenmarkszellen. *Ergebnisse:* Bei 165 (28%) von 581 ausgewerteten Patientinnen wurden CK 18 positive (pos) Zellen nachgewiesen. Das mediane Follow up betrug 32 Monate (6–72). Es besteht keine Korrelation mit dem Menopausentstatus, der Tumorgrösse, dem Lymphknotenstatus, dem histologischen Grading und dem Hormonrezeptorstatus. Invasiv-lobuläre Karzinome hatten eine signifikant höhere Detektionsrate von CK 18 pos Zellen (49%). Das 5-Jahres DFS beträgt 61% für CK 18 negative (neg) und 75% für CK 18 pos Patientinnen (p = 0,07). Das 5-Jahres OAS beträgt 82% für CK 18 neg und 85% für CK 18 pos Patientinnen (p = 0,36). In der multivariaten Analyse waren lediglich der Nodalstatus und die Hormonrezeptoren signifikant für das OAS. Bei nodalnegativen Patientinnen (n = 315) betrug das 5-Jahres DFS 71% bei CK 18 neg und 83% bei CK 18 pos Patientinnen. Das 5-Jahres OAS betrug bei dieser Patientinnengruppe 92% bei CK 18 neg und 95% bei CK 18 pos Patientinnen. *Schlussfolgerungen:* Der Nachweis von CK 18 pos Zellen im Knochenmark von Mammakarzinompatientinnen ist nicht mit dem OAS und DFS korreliert. Obwohl der Nachweis von CK 18 pos Zellen im Knochenmark höchstwahrscheinlich das Ergebnis einer Tumorzelldisseminierung ist, wird dadurch die Prognose nicht verschlechtert.

107

Pathophysiologie und Prophylaxe der intraabdominalen Metastasierung nach laparoskopischen Eingriffen an Malignomen

J. Volz, S. Köster, F. Melchert

Universitäts-Frauenklinik Mannheim, Deutschland

Einführung: Aus allen Bereichen der operativen Medizin gibt es Hinweise, dass nach laparoskopischen Eingriffen an Malignomen lokal, im Bereich der Trokareinstiche, und diffus über das Peritoneum verteilt, die intraabdominale Metastasierung begünstigt wird. Mehr als 200 Publikationen hierüber sind in den letzten Jahren erschienen, wobei bisher weder die Ursache hierfür noch eine mögliche Prävention bekannt ist. Die folgenden Untersuchungen sollen Erklärungen und Lösungsmöglichkeiten bieten und ein neues Verständnis der intraabdominalen Metastasierung ermöglichen. *Methoden:* In vitro wurde ein Modell entwickelt, in welchem die Invasion von Tumorzellen durch eine fluoreszenz-markierte Mesothelzellschicht unter verschiedenen äusseren Bedingungen simuliert und im Durchlicht im Zeitraffer beobachtet werden kann. In verschiedenen Tierexperimenten an Fellmäusen wurde der Einfluss eines CO_2-Pneumoperitoneums und von Tumorzellen auf das Peritoneum raster- und transmissionselektronenmikroskopisch untersucht. Durch intraabdominale Applikation von Zytostatika, Blockierung von Bindungsstellen, Makrophagenmodulation und Barrieresubstanzen wurden Möglichkeiten einer Prophylaxe im Tiermodell untersucht. *Ergebnisse:* In vitro hat die Modifikation der Umgebung grossen Einfluss auf das Invasionsverhalten von Tumorzellen. Im Tierexperiment konnte gezeigt werden, dass die Anlage eines CO_2-Pneumoperitoneums mit erheblichen morphologischen Veränderungen des Peritoneums einhergeht und ausgeprägte Reparaturvorgänge induziert. Das Mesothel kommt dadurch in einen Zustand der erhöhten Syntheseleistung. Makrophagen, Fibroblasten und Lymphozyten wandern in sehr kurzer Zeit in grosser Zahl ein. Es kommt zu einem sehr schnellen und tiefen Eindringen von Tumorzellen. Prophylaktische Interventionen, die diese Veränderungen spezifisch antagonisieren, führen im Tierexperiment zu einer signifikanten Verlangsamung des Tumorwachstums und zur Lebensverlängerung. *Schlussfolgerung:* Klinische Erfahrungen und die Ergebnisse dieser Untersuchungen legen nahe, dass bei laparoskopsichen Operationen an Malignomen spezifische prophylaktische Massnahmen ergriffen werden müssen, um den kurzfristigen Vorteil der Operationsmethode nicht durch einen langfristigen Nachteil erkaufen zu müssen.

108

Induktion einer CA125 Immunantwort durch Immunisierung mit einem rekombinanten «Single Chain Fv» eines CA125 imitierenden Anti-Idiotypen Antikörpers

U. Wagner[1], S. Reinartz, H. Schlebusch, D. Krebs, D. Wallwiener[1]

Universitäts-Frauenklinik Bonn, Sigmund-Freud-Str. 25, D-53105 Bonn, [1] Universitäts-Frauenklinik Tübingen, Schleichstr. 4, D-72076 Tübingen, Deutschland

Einführung: Der murine monoklonale Anti-Idiotypen Antikörper ACA125 imitiert mit seiner variablen Bindungsgruppe Anteile des CA125 und ist in der Lage, eine CA125 Immunantwort zu erzeugen. In einer ersten klinischen Studie konnte gezeigt werden, dass die Erzeugung der CA125 Immunantwort mit einer Verbesserung der Überlebenszeit einhergeht. Um die minimalen strukturellen Anforderungen, die für das Imitieren des CA125 Antigens notwendig sind, zu überprüfen, haben wir ein rekombinantes Single Chain Fv (ScFv) Format des ACA125 in E. coli generiert, welches nur aus den variablen Regionen der schweren und leichten Ketten aufgebaut ist und in einem in-vivo Modell auf seine immunologische Aktivität überprüft. *Material und Methoden:* Die variablen Domänen der schweren (V_H) und leichten (V_L) Ketten (CDR 1–3) wurden dazu mit einem 15-Aminosäuren-Linker (Ln [Gly4Ser]3) verbunden und nach Transfektion in E. coli HB2151 produziert. Nach Aufreinigung über NHS-Säule erfolgte die Bestätigung der Bindungsaffinität des ScFv-Konstruktes gegenüber Ab1. Zur Immunisierung erhielten die Tiere (Ratten, n = 3) jeweils 50 µg des ACA125-ScFv und 100 µg des MAk ACA125 (Kontrolle) in CFA alle 3 Wochen i.p. Die Immunantwort mit Bildung von Ab3 und Ab1 gegen CA125 erfolgte mittels ELISA. *Ergebnisse:* Hyperimmunseren der ScFv-immunisierten Tiere zeigten die Induktion von Anti-CA125 und Anti-Anti-Idiotypen Antikörpern in 3/3 (max: 4777 ng/ml) gegenüber 1/3 (max: 1677 ng/ml) in Tieren, die den murinen kompletten Antikörper erhielten. *Schlussfolgerungen:* Die Ergebnisse zeigen, dass das V_H-Ln-V_L Konstrukt strukturell ausreicht, um eine Immunantwort ähnlich des kompletten Maus-Antikörpers zu induzieren. Dies stellt die Basis dafür, durch ausschliessliche Nutzung der variablen Region störende Reaktion gegen unspezifische Antikörperabschnitte bei der Immunisierung zu vermeiden, die variablen Gruppen auch als DNA-Vakzine direkt oder in Verbindung mit einem rekombinanten Interleukin als Fusionsprotein zur Verbesserung der Immunantwort gegen CA125 einzusetzen.

Unterstützt durch die DFG Wa 740/1-3 und 2-1, sowie BONFOR 103/13.

Operative Gynäkologie

109

Gewebeersatz durch spannungsfreie Prolenebandinsertion bei Harninkontinenz: Technische Details, Indikationen, Ergebnisse

St. Bettin, W. Fischer, R. Tunn

Frauenklinik, Charité, Campus Mitte, HUB, Berlin, Deutschland

Fragestellung: Die Elevation des Blasenhalses galt bisher als Grundprinzip der Kontinenzsicherung durch Kolposuspensions- und Schlingenverfahren. Die Prolenebandinsertion (TVT-Plastik n. Ulmsten) bewirkt dagegen als Leitschiene für die Bindegewebsneubildung eine spannungsfreie Stabilisierung der mittleren Urethra in Richtung Symphyse und Vagina. Sind die geänderten Operationsabsichten urodynamisch und sonographisch objektivierbar? Welche Indikationsstellungen lassen sich daraus ableiten? *Methode:* Lokalanästhesie, Bandinsertion suburethral durch das Diaphragma urogenitale, zwischen Levatormuskulatur und Arcus tendineus fasciae pelvis, Spatium Retzii, Bauchdecke. Sicherheitszystoskopie bei liegenden Nadeln. Hustentest bei voller Blase. Ergebnisse ein Jahr postoperativ: Kein Therapieversager (n = 48); unveränderter Urethraverschlussdruck; Stabilisierung der Kontinenzzone im Bereich der mittleren Urethra; 100% Beseitigung der Trichterbildung (n = 37); Einschränkung der Mobilität der mittleren und proximalen Urethra, aber auch signifikant des Blasenhalses; signifikante Verringerung des Inklinationswinkels beim Pressen, unveränderter posteriorer Urethrovesikalwinkel. Verringerung des Absinkens des Meatus urethrae internus im Verhältnis zur Symphysenunterkante beim Pressen um 59%. Es traten keine Miktionsstörungen auf. Spontanmiktion am Operationstag in 83%, am 1. postoperativen Tag in 10% der Fälle, am 5. postoperativen Tag (7%, Zustand nach Korrektur der Blasenperforation). Die Bandeinlage hat keinen Einfluss auf eine bestehende Zystozele. *Schlussfolgerungen:* Urometrie und Sonographie bestätigen die Operationsabsichten. Die Beseitigung urethraler Trichterbildung ist ungeklärt. Die TVT-Plastik ist indiziert bei schlaffer vorderer Vaginalwand, hypermobiler Urethra, proximaler Trichterbildung und niedrigen Urethraverschlussdruck. Sie ist vor allem als Primäroperation bei reiner Stress-HI, aber auch bei Misch-HI, als Rezidiv- oder Zusatzeingriff eine vielversprechende Alternative zu anderen Harninkontinenz-Operationen.

110

Endoskopische axilläre Lymphonodektomie ohne vorherige Fettabsaugung – Entwicklung einer Technik und erste Ergebnisse

S. Kamprath, J. Bechler, A. Schneider

Abteilung für Frauenheilkunde der Friedrich-Schiller-Universität Jena, Deutschland

Einführung und Fragestellung: Eine neue Technik der endoskopischen axillären Lymphonodektomie ohne Fettabsaugung wurde entwickelt. *Material und Methode:* Im Zeitraum von Juni 1997 bis November 1998 wurden 62 Patientinnen mit kleinem Mammakarzinom brusterhaltend in Kombination mit einer endoskopischen axillären Lymphonodektomie ohne vorherige Fettabsaugung operiert. Bei 2 Patientinnen musste intraoperativ auf die konventionelle

Technik aufgrund von Präparationsschwierigkeiten konvertiert werden. *Ergebnisse:* Die mittlere Operationszeit betrug 69 Minuten. Intraoperative Komplikationen traten nicht auf. Durchschnittlich wurden 16 Lymphknoten entfernt. Bei 2 Patientinnen erfolgte sekundär eine offene Revision der Axilla. Am 5. postoperativen Tag war die Armbeweglichkeit bei 53 (85,4%) Patientinnen uneingeschränkt möglich. 18 (29%) der Patientinnen berichteten über Sensibilitätsstörungen entsprechend Dermatom C5. 3 Patientinnen entwickelten ein punktionspflichtiges Serom, zwei Patientinnen eine partielle Scapula alata und bei einer Patientin bildete sich ein Axillaabszess 9 Wochen postopertativ während der Radiatio. Nach einer mittleren Nachbeobachtungszeit von 9 Monaten zeigten alle Patientinnen eine volle Armbeweglichkeit, 11 (17,7%) Patientinnen berichteten über diskrete Sensibiltitätsstörungen im Oberarmbereich. Beide Patientinnen mit der partiellen Scapula alata zeigten nach durchschnittlich 6 Monaten eine fast vollständige Rückbildung der Symptomatik. *Schlussfolgerung:* Die endoskopische Technik ohne Fettabsaugung ermöglicht ein korrektes axilläres Lymphknotenstaging in Übereinstimmung mit den onkologischen Standards. Aussagen zur Spätmorbidität und axillären Rezidivrate sind frühestens nach 2 Jahren möglich. Die Entwicklung dieser Technik dient als Basis für die endoskopische Detektion des Sentinellymphknotens nach vorheriger radioaktiver Markierung und soll somit eine Kartographierung der Lymphabflussverhältnisse bei unterschiedlichen Tumorlokalisationen in der Brust ermöglichen.

111

Validität der Sentinel node-Biopsie beim Mammakarzinom nach farbstoffinduzierter Lymphographie

T. Kühn, C. Santjohanser, K. Koretz, W. Böhm, R. Kreienberg

Fragestellung: Die zuverlässige Bestimung des Nodalstatus bei gleichzeitiger Reduktion perioperativer Morbidität im Schulter-Arm-Bereich stellt eine wichtige Herausforderung an zukünftige Konzepte in der operativen Primärtherapie des Mammakarzinoms dar. Die Validierung der Sentinel node-Biopsie nach farbstoffinduzierter Lymphographie ist Gegenstand der vorliegenden Untersuchung. *Material und Methode:* In einer prospektiven Studie wurde bei 104 Mammakarzinom-Patientinnen eine Darstellung des Sentinel nodes nach peritumoraler Farbstoffinjektion durchgeführt. Untersucht wurde die Detektionsrate des Sentinel nodes, die Sensitivität der Technik in der Prädiktion des positiven Nodalstatus sowie der negative prädiktive Wert. Die Abhängigkeit der Detektionsrate von tumorspezifischen Parametern (Tumorgrösse, Lokalisation) sowie Fragen des diagnostischen und therapeutischen Vorgehens wurde analysiert. *Ergebnisse:* Bei 76,9% der Patientinnen konnte ein Sentinel node identifiziert werden. Bei kleinen Tumoren fand sich eine tendenziell höhere Detektionsrate (T1 84,3%, T2 71,4%, T3/4 50%). Eine Abhängigkeit der Detektion von der Tumorlokalisation bestand nicht. Signifikant häufiger wurde ein Sentinel node bei zweizeitigem Vorgehen (Z.n. Tumorektomie) identifziert (67,1% versus 93,1%). Die Sensitivität betrug 88,5% im Gesamtkollektiv und 92,3% in der Gruppe der T1-Tumoren. Der negative prädiktive Wert lag bei 96,5% bzw. bei 96,8% für T1-Tumoren. In 96,2% aller Fälle (T1 97,7%) wurde der Nodalstatus durch die Sentinel node-Biopsie korrekt vorhergesagt. *Schlussfolgerung:* Die Sentinel node-Biopsie nach peritumoraler Farbstoffinjektion stellt eine einfache operative Technik dar, die es erlaubt, das erstdrainierende Lymphabflussgebiet von Mammakarzinomen mit hoher Sicherheit zu erfassen. Auf Grund der hohen Sensitivität sowie des günstigen prädiktiven Wertes, könnte zukünftig bestimmten Kollektiven von Patientinnen das Operationstrauma einer kompletten Lymphonodektomie erspart werden.

112

Diagnostische Sicherheit der Sentinel-Lymphonodektomie (SLNE) in der Therapie des Mammakarzinoms

J. Kowolik, W. Kuhn, A. Prechtl, T. Obst[1], N. Avril[1], J. Nährig[2], M. Werner[2], H. Graeff

Frauenklinik, [1] Nuklearmedizinische Klinik und Poliklinik und [2] Institut für Pathologie und Pathologische Anatomie der Technischen Universität München, Klinikum rechts der Isar, München, Deutschland

Fragestellung: Mit der wenig invasiven Methode der Sentinel-Lymphonodektomie (SLNE) könnte die mit perioperativer Morbidität verbundene axilläre Dissektion bei Patientinnen mit Mammakarzinom vermieden werden. Es ist zu klären, ob über die Isolierung und histologische Befundung des Sentinel-Lymphknotens (SL) eine zuverlässige Aussage über den axillären Lymphknotenstatus bei Patientinnen mit Mammakarzinom erreichbar ist. *Methode:* Im Rahmen einer prospektiven Studie wurden bisher bei 36 Patientinnen mit tastbarem Mammakarzinom Technetium-99m markiertes humanes Serumalbumin peritumoral am Tag vor der Operation injiziert. 15 und 30 Minuten sowie 3 Stunden p.i. erfolgte eine Lymphoszintigraphie. Intraoperativ wurde der Sentinel-Lymphknoten mit einer Gammakamera aufgesucht, markiert und entfernt, die weitere Operation der Axilla erfolgte in üblicher Weise. Die histologische Befundung des SL wurde unter Verwendung einer neu etablierten immunhistochemischen Schnellschnittmethode vorgenommen, die Beurteilung des Axillapräparats erfolgte konventionell am Paraffinschnitt. *Ergebnisse:* Der Sentinel-Lymphknoten konnte bei 32 Patientinnen durch die Lymphoszintigraphie dargestellt und intraoperativ endeckt werden, bei 4 Patientinnen war die Lymphoszintigraphie negativ. Die Entfernung eines Sentinellymphknotens war hier nicht möglich. Bei 21 Patientinnen war der Sentinellymphknoten negativ übereinstimmend mit dem Axillapräparat (N0). Bei 11 Patientinnen war der Referenzlymphknoten tumorzellpositiv, hier fanden sich zwei Mal mikrometastatische Veränderungen. Bei einer Patientin war der Sentinellymphknoten tumorzellnegativ, es konnte jedoch ein positiver Lymphknoten im restlichen Axillapräparat gefunden werden. *Schlussfolgerung:* Die SLNE ist technisch durchführbar, durch Verwendung der immunhistochemischen Schnellschnittuntersuchung scheint die Histologie des SL den Nodalstatus der Axilla zuverlässig zu reflektieren. Eine prospektive Multizenter-Studie zur Bestätigung dieser Ergebnisse ist in Vorbereitung.

113

Nervensparende radikale Chirurgie im kleinen Becken

M. Possover, A. Schneider

Abteilung für Frauenheilkunde, Friedrich-Schiller-Universität Jena, Bachstrasse 18, 07740 Jena, Deutschland

Einführung: Radikale chirurgische Verfahren im retroperitonealen Raum des Beckens sowohl zur primären und sekundären Behandlung des Zervixkarzinoms als auch der schweren Endometriose gefährden die Funktion von Harnblase und Enddarm. Wir benutzten die 7fache Vergrösserung und die schonende Präparationstechnik der Laparoskopie und setzten diese Kenntnisse ein um, die Morbidität der radikalen Beckenchirurgie zu reduzieren. *Patientinnen und Methode:* Zwischen 8/1997 und 12/1998 wurden bei 25 laparoskopisch assistierten radikalen vaginalen Hysterektomien Typ 3 (nach

Rutledge) sowie bei 23 radikalen vaginal-assisitierten laparoskopischen Resektionen von Endometrioseherden die Äste des Plexus hypogastricus sowie des Plexus pudendus dargestellt und geschont. *Ergebnisse:* Bei allen laparoskopisch assistierten radikalen vaginalen Hysterektomien Typ 3 wurden die visceralen Nerven des Plexus pudendus elektiv dargestellt und mindestens auf einer Seite erhalten. Alle Patientinnen bemerkten einen Verlust der Blasensensibilität (Gefühl der vollen Blase), konnten aber alle durchschnittlich am 8,5 postop. Tag (5–14 Tage) die Blase vollständig entleeren. Bei den Patientinnen mit schwerer retroperitonealer Endometriose wurde eine Darmresektion mit coloanaler Anastomose durchschnittlich 4 cm (3–7 cm) ab ano durchgeführt. Hierbei wurden systematisch die Äste der Plexi pudendi und hypogastrici elektiv geschont. Alle Patientinnen konnten durchschnittlich am 13,6 postop. Tag (9–23 Tage) ihre Blase vollständig entleeren. *Schlussfolgerungen:* Eine Schonung der Äste des Pl. hypogastricus und pudendus führt unter Beibehaltung der erforderlichen Radikalität zu einer deutlichen Reduktion der postoperativen Morbidität.

114

Permanente Tubensterilisation durch intraluminale Laserphotokoagulation: Eine tierexperimentelle Studie am Kaninchen

S. Spörri, B. Brent, E. Dreher, H. Schneider, M. Motamedi
Universitäts-Frauenklinik Bern, Schweiz, Biomedical Engineering Center, University of Texas, USA

Einführung und Fragestellung: Die transzervikale Tubensterilisation gilt seit Jahren als potentielle, minimal-invasive Alternativmethode zur transabdominalen Tubensterilisation. Die bislang untersuchten transzervikalen Techniken (mechanisch-obstruierend, chemisch-sklerosierend, thermisch-schädigend) verfügen jedoch über eine ungenügende Effizienz, Sicherheit und Akzeptanz. Unter den laparoskopischen Sterilisationstechniken weist die irreversible thermische Schädigung des Isthmus über eine Länge von 3.0 cm die geringste Versagerrate auf. Basierend auf dieser Technik untersuchten wir die Effizienz und die Sicherheit eines permanenten Tubenverschlusses durch intraluminale Laserphotokoagulation. *Material und Methode:* Fünfzig Kaninchen wurden laparotomiert und hysterotomiert. Die intraluminale Photokoagulation erfolgte im proximalen, extramuralen Teil der Tube mittels eines zylindrischen «diffusing tip» der die Laserstrahlung zirkulär und uniform über eine Länge von 3.0 cm während einer Zeitdauer von eins bis fünf Minuten abstrahlte. Als Energiequellen wurden ein Argonlaser (λ = 488–514 nm; Laserleistung 1.5 resp. 2.7 Watt) und zwei Diodenlaser (λ = 810 nm resp. 980 nm; Laserleistung jeweils 4.5 Watt) eingesetzt. Vier resp. sieben Wochen nach Photokoagulation wurde die Tubendurchgängigkeit mittels Methylenblautest resp. anhand dem Nachweis intrauteriner Schwangerschaftsprodukte geprüft. *Ergebnisse:* Alle behandelten Tiere zeigten einen komplikationslosen postoperativen Verlauf. In 65 der 67 behandelten Tuben ergab der Methylenblautest ein negatives Resultat (Verschlussrate = 97.1%). Schwangerschaftsprodukte wurden in einem von 32 Uteri mit durchgeführter Tubenphotokoagulation nachgewiesen (Verhütungsrate = 96.9%). *Schlussfolgerung:* Die beschriebene intraluminale Tubenkoagulationstechnik erwies sich als eine effiziente und sichere Sterilisationsmethode beim Kaninchen und verfügt über das Potential auch beim Menschen als transzervikale Tubensterilisationsmethode angewendet zu werden.

115

Der Wert der stereotaktischen Stanzbiopsie im Management suspekter Mammographiebefunde

C. Wilke, S. Palmié, W. Jonat
Universitäts-Frauenklinik Kiel, Deutschland

Durch die verbesserte Vorsorgemammographie werden zunehmend allein mammographisch suspekte Befunde ohne klinisches Korrelat diagnostiziert. *Fragestellung:* Wie lassen sich Sensitivität und Spezifität der weiterführenden Mammadiagnostik steigern, ohne die Anzahl unnötiger Exzisionsbiopsien zu erhöhen? *Methode:* An der UFK Kiel wurden von 6/96 bis 5/97 255 stereotaktisch gezielte Stanzbiopsien mammographisch suspekter Befunde durchgeführt, 68 × wegen überwiegend monomorpher und 38 × bei überwiegend polymorphen Mikrokalkgruppen, 56 × bei unscharf begrenzten und 58 × bei glatt begrenzten Rundherden bzw. asymmetrischen flauen Parenchymverdichtungen sowie 35 × wegen strahlig streifiger Verdichtungen ohne Kernschatten. *Ergebnisse:* Histologisch fanden sich 68 invasive Karzinome sowie 21 DCIS, welche im Folgenden exzidiert wurden. Es gab ein falsch-positives und 4 falsch-negative Ergebnisse, so dass eine Sensitivität der Methode von 98,4% und eine Spezifität von 99,6% resultieren. *Schlussfolgerung:* Mit Hilfe der stereotaktischen Stanzbiopsie lässt sich der positive Vorhersagewert der Mammographie um das 4- bis 5fache steigern. Die Patientinnen können anhand der präoperativ vorliegenden histologischen Diagnosen über die definitiv notwendigen chirurgischen Massnahmen aufgeklärt werden. Probeexzision und zweiseitige Eingriffe können mehrheitlich eingespart werden.

Gynäkologisch-geburtshilfliche Rundschau

Autorenregister Vol. 39, Nr. 1, 1999

Die Zahlen entsprechen den Abstractnummern.

E-Mail karger@karger.ch
Fax + 41 61 306 12 34
http://www.karger.ch

Accessible online at:
http://BioMedNet.com/karger

Gynäkologisch-geburtshilfliche
Rundschau

Veranstaltungskalender

Erstanzeige = mit Raster

07.05.1999 **Jena** Deutschland	8. Jenaer Workshop «Laparoskopische Operationstechniken in der gynäkologischen Onkologie»	**Auskunft:** Prof. Dr. A. Schneider, M.P.H., Abt. Frauenheilkunde und Geburtshilfe, Klinikum der Friedrich Schiller-Universität, Postfach, D–07740 Jena Tel.: +49-3641-993-063; Fax: +49-3641-933-064
09.05.–14.05.1999 **Ostumi** Italien	Advances in Ultrasound Technology and Safety Issues	**Auskunft:** Prof. L. Bolondi, President EFSUMB, Project Secretariat, Divisione Medicina Interna, Policlinico Sant Orsola Malpighi, Università degli Studi di Bologna, Via Albertoni, 15, I–40125 Bologna (Italy) Tel.: +39-51-63622-60; Fax: +39-51-63627-25
12.05.–16.05.1999 **Nürnberg** Deutschland	7. Kongress der Deutschen Gesellschaft für Pränatal- und Geburtsmedizin	**Auskunft:** Kongresssekretariat, Prof. Dr. A. Feige, Breslauer-Str. 201, D–90471 Nürnberg Tel.: +49-911-398-2804; Fax: +49-911-398-2287
14.05.–15.05.1999 **Badenweiler** Deutschland	120. Tagung der Oberrheinischen Gesellschaft für Geburtshilfe und Gynäkologie	**Auskunft:** Prof. H. Schneider, Frauenklinik, Inselspital, Schanzeneckstrasse 1, CH–3012 Bern Tel.: +41-31-300-12-66; Fax: +41-31-300-14-14; E-Mail: henning.schneider@insel.ch
28.05.–30.05.1999 **Münster** Deutschland	198. Tagung der Niederrheinisch-Westfälischen Gesellschaft für Gynäkologie und Geburtshilfe e.V.	**Auskunft:** Fr. A. Aengeneyndt, Kongressorganisation GmbH, Postfach 31 03 07, D–40482 Düsseldorf Tel.: +49-211-47-90-439; Fax: +49-211-47-90-964; E-Mail: aa_kongress@t-online.de; web: http://www.aa_kongress.t-online.de
29.05.1999 **Dresden** Deutschland	Frühjahrstagung der Sächsischen Gesellschaft für Frauenheilkunde und Geburtshilfe	**Auskunft:** Fr. A. Schlimper, Sekretariat Prof. Dr. W. Distler, Klinik und Poliklinik für Frauenheilkunde und Geburtshilfe der TU Dresden, Fetscherstr. 74, D–01307 Dresden Tel.: +49-351-458-3420; Fax: +49-351-458-4329
02.06.–05.06.1999 **München** Deutschland	Gemeinsame Tagung der Bayerischen Gesellschaft für Geburtshilfe und Frauenheilkunde e.V. und der Österreichischen Gesellschaft für Gynäkologie und Geburtshilfe (ÖGGG)	**Auskunft:** Congress Organisation, C. Schäfer, Postfach 40 03 05, D–80703 München Tel.: +49-89-307-1011; Fax: +49-89-307-1021; E-Mail: info@cocs.de
03.06.–05.06.1999 **Giessen** Deutschland	171. Tagung der Mittelrheinischen Gesellschaft für Geburtshilfe und Gynäkologie	**Auskunft:** Congress Organisation, C. Schäfer, Karl-Theodor-Strasse 64, D–80803 München Tel.: +49-89-307-1011; Fax: +49-89-307-1021; E-Mail: info@cocs.de
04.06.–06.06.1999 **Leipzig** Deutschland	Dopplersonographie-Aufbaukurs	**Auskunft:** PD Dr. R. Faber, Universitäts-frauenklinik Leipzig (Triersches Institut), Philipp-Rosenthal-Strasse 55, D–04103 Leipzig Tel.: +49-341-972-3595; Fax: +49-341-972-3669
05.06.–06.06.1999 **Kiel** Deutschland	III. Deutscher Endometriose Kongress	**Auskunft:** Andrea Voss-Werner, Universitäts-Frauenklinik Kiel, Michaelisstrasse 16, D–24105 Kiel Tel.: +49-431-597-2053; Fax: +49-431-597-2146; E-Mail: avoss@email.uni-kiel.de
10.06.–13.06.1999 **Drei-Annen-Hohne/ Harz** Deutschland	Psychosomatische Grundversorgung für Frauenärzte für Fort- und Weiterbildung: Aufbaukurs	**Auskunft:** Fr. Dr. C. Presch, Ostdeutsche Gesellschaft für Psychosomatische Gynäkologie und Geburtshilfe, Friedenstrasse 19, D–38820 Halberstadt Tel.: +49-39-41-24-319
11.06.–13.06.1999 **Erfurt** Deutschland	V. Tagung der Arbeitsgemeinschaft für Infektionen und Infektionsimmunologie in der Gynäkologie und Geburtshilfe der ESIDOG und der DGKH	**Auskunft:** Prof. Dr. U.B. Hoyme, Direktor Klinik für Frauenheilkunde und Geburtshilfe, Klinikum Erfurt GmbH, Gorkistrasse 6, D–99084 Erfurt Tel.: +49-361-781-4000; Fax: +49-361-781-4002
18.06.–19.06.1999 **Basel** Schweiz	15. Jahrestagung der Arbeitsgemeinschaft für Zervixpathologie und Kolposkopie	**Auskunft:** Chefarztsekretariat Prof. S. Heinzl, Kantonsspital Bruderholz/Basel, CH–4101 Bruderholz Tel.: +41 61 421 21 21; Fax: +41 61 422 14 31

KARGER

Fax + 41 61 306 12 34
E-Mail karger@karger.ch
www.karger.com

Accessible online at:
http://BioMedNet.com/karger

23.06.–26.06.1999 **Davos** Schweiz	Jahresversammlung der Schweizerischen Gesellschaft für Gynäkologie und Geburtshilfe (SGGG)	**Auskunft:** PD Dr. R.A. Steiner, Chefarzt, Kant. Frauenspital Fontana, Lürlibadstrasse 118, CH–7000 Chur Tel.: +41-81-254-8128; Fax: +41-81-254-8130; E-Mail: Rolf.Steiner@san.gr.ch
24.06.–26.06.1999 **Lübeck** Deutschland	Third International Baltic Sea Conference on Fetal Haemodynamics	**Auskunft:** Universitätsfrauenklinik Lübeck, Bereich Pränatale Medizin, Ratzeburger Allee 160, D–23562 Lübeck Tel.: +49-451-500-2149; Fax: +49-451-500-2192; E-Mail: Gembruch@medinf.mu-luebeck.de
25.06.–27.06.1999 **Berlin** Deutschland	Psychosomatische Geburtshilfe und Gynäkologie	**Auskunft:** Fr. L. Schelensky, Sekretariat Fr. Prof. M. Rauchfluss, Ammerseestr. 22, D–12527 Berlin Tel.: +49-30-624-85-52; Fax: +49-30-624-85-52; E-Mail: bodden@uni-duesseldorf.de
29.07.–01.08.1999 **Genf** Schweiz	The First World Congress of Controversies in Obstetrics, Gynecology and Infertility	**Auskunft:** The First Congress of Controversies in Obstetrics, Gynecology and Infertility, P.O. Box 50006, Tel Aviv 61500 (Israel) Tel.: +972-351-440-000; Fax: +972-351-440-077; E-Mail: listserve.controversies@kenes.com
10.09.–11.09.1999 **Mainz** Deutschland	1. Mainzer Symposium: Gynäkologische Endokrinologie und Reproduktionsmedizin	**Auskunft:** Frau I. Künstler, Universitäts-Frauenklinik, D–55101 Mainz Tel.: +49-6131-17-7311; Fax: +49-6131-17-3415; E-Mail: seufert@mail.uni-mainz.de
13.09.–17.09.1999 **Oldenburg** Deutschland	AGE-Intensiv-Workshop: Minimal-invasive Chirurgie in der Frauenklinik	**Auskunft:** Prof. Dr. R.L. De Wilde, Ltd. Arzt der gyn.-geb. Abteilung, Frauenklinik des Pius-Hospitals, Georgstr. 12, D–26121 Oldenburg Tel.: +49-441-229-1501; Fax: +49-441-229-1525
16.09.–17.09.1999 **Bern** Schweiz	22. Jahreskongress und Generalversammlung der Schweizerischen Gesellschaft für Senologie	**Auskunft:** Medizinischer Kongressdienst Bäbler, Postfach 109, CH–3000 Bern 21 Tel.: +41-31-371-45-52; Fax: +41-31-371-70-40; E-Mail: Baebler@mkbverlagmedizin.ch
16.09.–18.09.1999 **Stockholm** Schweden	8th Congress of the European Society for Gynaecological Endoscopy: Endosurgery and Minimal Invasion	**Auskunft:** Stockholm Convention Bureau, 8th ESGE, PO Box 6911, S–10239 Stockholm (Sweden) Tel.: +46-8-736-15-00; Fax: +46-8-34-84-41; E-Mail: esge@stocon.se; web: http://www.kbh.uu.se/obstgyn
16.09.–19.09.1999 **Drei-Annen-Hohne/ Harz** Deutschland	Psychosomatische Grundversorgung für Frauenärzte für Fort- und Weiterbildung: Grundkurs	**Auskunft:** Fr. Dr. C. Presch, Ostdeutsche Gesellschaft für Psychosomatische Gynäkologie und Geburtshilfe, Friedenstrasse 19, D–38820 Halberstadt Tel.: +49-39-41-24-319
17.09.–18.09.1999 **Rüsselsheim/Eltville** Deutschland	8. Deutsches Gestose-Symposium der ISSHP (Deutsche Sektion)	**Auskunft:** Prof. Dr. L. Heilmann, Chefarzt der gyn.-geb. Abteilung des Stadtkrankenhauses, August-Bebel-Strasse 59, D–65428 Rüsselsheim Tel.: +49-6142-88-1316; Fax: +49-6142-60-3371
26.09.–29.09.1999 **Berlin** Deutschland	Ultraschall 99 23. Dreiländertreffen der DEGUM, ÖGUM und SGUMB	**Auskunft:** CPO Hanser Service GmbH, Schaumburgallee 12, D–14052 Berlin Tel.: +49-30-300-6690; Fax: +49-30-305-7391; E-Mail: Berlin@cpo-hanser.de; web: http://www.cpo-hanser.de
15.10.–17.10.1999 **Freiburg** Deutschland	The Second International Breast Imaging Update – IBIU 1999	**Auskunft:** The IBIU Secretariat, Neutorgasse 9/2A, A–1010 Wien Tel.: +43-431-533-4064; Fax: +43-431-533-40649
30.10.1999 **Aschaffenburg** Deutschland	Mammazytologie: Einführungs- und Mittelkurs	**Auskunft:** Sekretariat Prof. Dr. A. Teichmann, Klinikum Aschaffenburg, Am Hasenkopf, D–63739 Aschaffenburg Tel.: +49-6021-32-41-81
31.10.1999 **Aschaffenburg** Deutschland	Mammazytologie: Kurs für Fortgeschrittene	**Auskunft:** Sekretariat Prof. Dr. A. Teichmann, Klinikum Aschaffenburg, Am Hasenkopf, D–63739 Aschaffenburg Tel.: +49-6021-32-41-81
04.11.–06.11.1999 **Ulm** Deutschland	19. Jahrestagung der Deutschen Gesellschaft für Senologie	**Auskunft:** SFK Sander Fachkongress Organisation, Blumenau 18, D–22089 Hamburg Tel.: +49-40-250-1959; Fax: +49-40-250-3928
07.11.–11.11.1999 **Buenos Aires** Argentinien	10th World Congress of Cervical Pathology and Colposcopy	**Auskunft:** General Secretariat, Congresos Internacionales S.A., Moreno 584, 9th floor, 1091 Buenos Aires (Argentina) Tel.: +54-1-342-3216/3283; Fax: +54-1-331-0223/334

12.11.–13.11.1999 **Leipzig** Deutschland	Dopplersonographie-Abschlusskurs	**Auskunft:** PD Dr. R. Faber, Universitätsfrauenklinik Leipzig (Triersches Institut), Philipp-Rosenthal-Strasse 55, D–04103 Leipzig Tel.: +49-341-972-3595; Fax: +49-341-972-3669
26.11.–28.11.1999 **Berlin** Deutschland	Psychosomatische Geburtshilfe und Gynäkologie	**Auskunft:** Fr. L. Schelensky, Sekretariat Fr. Prof. M. Rauchfluss, Ammerseestr. 22, D–12527 Berlin Tel.: +49-30-624-85-52; Fax: +49-30-624-85-52; E-Mail: bodden@uni-duesseldorf.de
02.12.–04.12.1999 **Berlin** Deutschland	19. Deutscher Kongress für Perinatale Medizin	**Auskunft:** Prof. Dr. med. K. Vetter, Abteilung für Geburtsmedizin, Frauenklinik am Krankenhaus Neukölln, Mariendorfer Weg 28–38, D–12051 Berlin
2000 **(genaues Datum noch unbekannt)** **Rom** Italien	The Fetus as a Patient	**Auskunft:** 2nd Institute of Obstetrics and Gynecology, Policlinico Umberto I, University 'La Sapienza', Viale Regina Elena 324, I–00161 Rom (Italien) Tel.: +39-6-446-04-84; Fax: +39-6-446-91-28; E-Mail: perinat@flashnet.it
07.06.–10.06.2000 **Prag** Tschechische Republik	VIIIth European Congress on Pediatric and Adolescent Gynecology	**Auskunft:** N.V. Organon, P.O. Box 20, NL–5340 BH Oss (The Netherlands)
21.06.–24.06.2000 **Basel** Schweiz	EAGO 2000 15th European Congress of Gynaecology and Obstetrics (EAGO/EBCOG)	**Auskunft:** EAGO 2000, c/o AKM Congress Service, Clarastr. 57, P.O. Box, CH–4005 Basel Tel.: +41-61-686-77-11; Fax: +41-61-686-77-88; E-Mail: akm@bluewin.ch
23.08.–26.08.2000 **Luzern** Schweiz	Jahresversammlung der Schweizerischen Gesellschaft für Gynäkologie und Geburtshilfe (SGGG)	**Auskunft:** PD Dr. R.A. Steiner, Chefarzt, Kant. Frauenspital Fontana, Lürlibadstrasse 118, CH–7000 Chur Tel.: +41-81-254-8128; Fax: +41-81-254-8130; E-Mail: Rolf.Steiner@san.gr.ch
02.09.–08.09.2000 **Washington, D.C.** USA	XVIIth FIGO World Congress of Gynecology and Obstetrics	**Auskunft:** FIGO Secretariat, 27 Sussex Place, Regent's Park, London NW4 1RG (UK) Tel.: +44-171-723-2951; Fax: +44-171-258-0737; E-Mail: secret@figo.win-uk.net
07.09.–09.09.2000 **Wien** Österreich	24. Dreiländertreffen der ÖGUM, DEGUM und SGUM	**Auskunft:** Ultraschall 2000, Neutorgasse 9/2A, A–1010 Wien Tel.: +43-1533-40-64; Fax: +43-1533-40-649; E-Mail: office@ecr.org; web: http://www.ultraschall2000.org
06.10.–07.10.2000 **Salzburg** Österreich	2nd EUSOBI Conference European Society of Breast Imaging	**Auskunft:** EUSOBI-Secretariat, Neutorgasse 9/2A, A–1010 Wien Tel.: +43-1533-4064; Fax: +43-1535-7037; E-Mail: office@ecr.org; web: http://www.eusobi.org